El cuerpo
como herramienta
de curación

CHRISTIAN FLÈCHE

El cuerpo como herramienta de curación

DESCODIFICACIÓN PSICOBIOLÓGICA DE LAS ENFERMEDADES

EDICIONES OBELISCO

Si este libro le ha interesado y desea que le mantengamos informado de nuestras
publicaciones, escríbanos indicándonos qué temas son de su interés
(Astrología, Autoayuda, Ciencias Ocultas, Artes Marciales, Naturismo, Espiritualidad, Tradición...)
y gustosamente le complaceremos.

Puede consultar nuestro catálogo en www.edicionesobelisco.com.

Colección: Salud y vida natural
EL CUERPO COMO HERRAMIENTA DE CURACIÓN
Christian Flèche

1ª edición: junio de 2005

Título original: *Mon corps pour me guérir*
Traducción: *Mireia Terés Loriente*

Diseño de cubierta: *Enrique Iborra*
Compaginación: *Antonia García*

© 2000, Le Souffle d'Or, BP 3, 05300, Barret sur Méouge, Francia
© 2005, Ediciones Obelisco, S.L.
(Reservados todos los derechos para la presente edición)

Edita: Ediciones Obelisco, S.L.
Pere IV, 78 (Edif. Pedro IV) 3ª planta 5ª puerta
08005 Barcelona-España
Tel. 93 309 85 25 - Fax 93 309 85 23
E-mail: obelisco@edicionesobelisco.com

ISBN: 84-9777-212-1
Depósito Legal: B-24.577-2005

Printed in Spain

Impreso en España en los talleres gráficos de Romanyà/Valls, S.A.
de Capellades (Barcelona).

La enfermedad es el esfuerzo que la naturaleza hace para curar al hombre.

Por lo tanto, podemos aprender mucho de la enfermedad para encontrar el camino de regreso a la salud, y lo que al enfermo le parece indispensable rechazar contiene el verdadero oro que no ha sabido encontrar en ninguna otra parte.

C. G. JUNG

Dedico este libro a Marie Lucie
que me enseñó a escuchar.

Escuchar es la primera terapia
al abasto de todos aunque utilizada por pocos.

Escuchar es más que una terapia
porque escuchar devuelve la vida.

El hombre puede no escuchar.
Sin embargo, Dios, la Vida, la Naturaleza y el Sentido
no pueden evitar hablar.
Porque su Presencia es continua.

Agradecimientos

Infinitas gracias a Franck Descombas, sin quien este libro no existiría. Es la mano invisible e indispensable; psicoterapeuta y escritor de gran talento, como corredactor, ha seguido muy de cerca la elaboración de este libro.

Gracias a Yves Michel que, como editor, me ha permitido hacer realidad un gran sueño de infancia; como profesional, me ha aconsejado objetivamente sobre la forma del libro; y como ser humano, ha estado presente de corazón durante todo el proceso creativo. Gracias a Marielle Bonnefoix, Fiona, Claire, Myriam y Aurélia por sus ilustraciones.

Este libro pretende ser un compendio de las principales obras acerca de lo que hace tiempo vino a denominarse psicosomática y que, recientemente, recibió el nombre de psicobiología (Rossi), psico-cerebro-orgánica o bio-psico-genealogía.

Esta obra se basa en los trabajos de Selye, Rossi, Erickson, Jung, Freud, Laborit, Hamer, Cyrulnik, Damazio y otros amigos apasionados por este mundo como Giorgio Mambretti, Jean-Jacques Lagardet, Gérard Athias, Pierre Julien, Patrick Obissier, Jean Olive, Betty Ticket, Josy, Robert, Marie-Françoise Bogues, Gérard Saksik, Marie-Thérèse, Claude Sabbah y Olivier. Y, sobre todo, el señor Marc Fréchet, a quien agradezco profundamente su extraordinaria aportación al ámbito de la salud.

En cada uno de nuestros hijos habita el deseo de llegar más lejos que nosotros, de sobrepasarnos gracias a nosotros. Es un impulso subversivo que disgusta, arremete, irrita, hace sonreír, divierte, que nos llena y enriquece de aquéllo que esperábamos sin mencionarlo. La belleza y el orden del mundo se revelan un poco más con cada nueva generación: es el Apocalipsis que se esconde en el silencio de las neuronas...

... Porque el perfume de la vida es silencioso
y el canto de los colores imperceptible,
parecido a la caricia de la voz más amada,
que se eleva muy alto en nuestro interior.
Como un sabor sonoro y sin nombre,
los posibles mañanas chocan entre ellas:
es el instante, es el ahora.
Así pues, gracias a mis predecesores,
gracias a mis sucesores, que utilizarán estos trabajos.

Nota del autor

Las historias que aparecen descritas en este libro son experiencias vividas por pacientes reales. Es posible que algunos lectores se vean reflejados en ellas, o reconozcan algún caso cercano. Dado que el objetivo del libro es el bienestar, la salud y la autonomía, era indispensable recurrir a casos reales para apoyar en éstos la veracidad de mis palabras. Deseo que, al leerlo, cada cual sea consciente de ello y no me guarde ningún rencor. Además, debo añadir que: «Cualquier parecido entre cualquier persona descrita en estas páginas y tú es debido a una proyección muy corriente y bastante natural».

Me llamo...

Christian Flèche. Nací el 22 de agosto de 1957 en Arcachon, fruto de la unión de un padre que nunca quiso ser adulto y una madre que siempre fue una niña.

De pequeño, me separaron de ellos unos meses. Cuando volví con ellos, había pasado una eternidad, una eternidad que jamás recuperamos.

Pasé la juventud en la ciudad, en París, entre la indiferencia general y con la profunda y firme convicción de valer mucho. ¿Narcisismo salvador o delirios de grandeza? A los 18 años, empecé la carrera de enfermería en el hospital general de Vernon. A los seis meses de empezar las prácticas, me echan por mala orientación, y me veo otra vez como la oveja descarriada de un rebaño desconocido que, por lo visto, ¡debe estar en un planeta que ya ha desaparecido! La historia se repite. Justifican el despido diciendo que soy demasiado sensible para ser un buen enfermero: mi superiora tarda 33 minutos en tomar el pulso, la presión arterial, la temperatura y la diuresis a veinte enfermos, mientras que yo tardo dos horas: ¡un crimen fatal e irremediable en el estado actual de exigencia hospitalaria!

Después de cuatro consejos técnicos, me veo apartado de la escuela y lejos de casa. Tenía 19 años, 10 meses y 8 días; me puse a hacer autoestop y aparecí con mis poemas y mi última novela en el hospital de St-Tropez para trabajar como cuidador.

También me echaron. Viví alguna que otra aventura más y, al final, terminé brillantemente la carrera en Aix-en Provence.

Continué escribiendo y practicando la meditación zen. El destino me persigue: buscando una cosa, encuentro otra. Y así, practicando el budismo, me cristianicé, profundamente, ante la evidencia de la relación directa con Arriba. Gran felicidad. Primer *flash*.

Entré voluntario en la capellanía del hospital. Allí, escuchaba sin decir nada ni convencer, algunas veces incluso rezando por y en presencia del Innominable, como la hermana de Marta.

Segundo *flash*: nos forman en la **escucha rogeriana**,[1] es decir, escuchar sin ocultar, ni auscultar, ni hablar. Se trata de reformular lo que el otro ha dicho, aunque ignora que lo ha dicho. «¡Qué bien me ha entendido y aconsejado!» ¡Y no se le ha dicho más que sus propias palabras!

El gran secreto de la comunicación: se trata de ausentarse, permitir que el otro piense en voz alta, que se hable a sí mismo, sin juicios ni deformaciones.

Tercer *flash*: descubrir la originalidad del **trabajo del doctor Hamer**. ¿Y si el muerto estuviera vivo? ¿Y si, como defiende Jung, la enfermedad no existiera para que la curáramos, sino para curarnos? Pero, ¿curarnos de qué? ¡Pues de un conflicto,* de una resistencia al cambio! Visión emocional del ser vivo.

Esto lo cambia todo: si nuestra concepción de lo humano es materialista, entonces corremos el riesgo de querer dar una explicación materialista al origen de las enfermedades. «Está enfermo por un microbio, por un nervio desmielinizado, por un agujero en el estómago, por un tumor que crece, etc.» El paciente materializa la causa de su mal, y eso frena cualquier otro tipo de búsqueda. Los remedios también serán materiales: medicamentos químicos, ablación, prótesis. Y éste es el peligro de la explicación: limita.

Si el hombre es dinamismo, la enfermedad es consecuencia de una alteración de ese dinamismo. El tratamiento consistirá en volver a recuperar el dinamismo perdido (homeopatía, etc.).

---

1. Carl Rogers, psicólogo estadounidense, creador de la escucha no-directiva, centrada en el paciente.
* Los asteriscos remiten al índice terminológico al final del libro.

Si el hombre es energético… ¿Cuál sería, entonces, una explicación que no limitara? Pues una que viniera del paciente, por el paciente, que se apoyara en lo sano que hay en su interior y, sobre todo, que aumentara la conciencia y, por lo tanto, la libertad.

Ciertamente, si nos identificamos con nuestro cuerpo-materia, irremediablemente nos morimos (cuatro meses de vida para los glóbulos rojos, varias semanas para las células de la piel, varios meses para las células óseas y, en siete años, todo nuestro cuerpo se ha renovado. ¿Qué queda de estable en nosotros? Nada, excepto las neuronas que viven desde el nacimiento hasta la muerte sin renovarse, pero que mueren a un ritmo de varios miles al día).

¿Y si nos identificamos con nuestro cuerpo-energía, sensible a los meridianos de la acupuntura? Éste cambia constantemente.

¿Identificarse con qué, con quién? Todo cambia: nuestros valores, nuestras creencias, nuestro cuerpo-emoción…

¿Apoyarse en qué? En la biología, la función de base de cada órgano; eso nos permite descodificar las enfermedades, así como los problemas de comportamiento. Y también nos ofrece una nueva visión del ser vivo y de las interacciones entre los seres.

Cuarto *flash*: la PNL,*[2] de Milton Erickson. La PNL me enseñó que el contenido no es nada y que el continente lo es todo.

No importa que me hayan quitado el marido, la mujer, el coche amarillo o la televisión panorámica.

Lo que cuenta es **lo que siento**: el continente, la estructura de la experiencia, el paquete. Con la PNL, entre otras técnicas, puedo influir en el continente, transformarlo y, de repente, transformar mi experiencia, el sentido, lo que siento. La pregunta: «¿Por qué me encuentro mal?» se convierte en: «¿Cómo puedo estar bien?». Un cambio saludable, conmovedor y sanador. Porque, en primer lugar, todo es aprendizaje, y mil reacciones son posibles y, básicamente, transmisibles de un ser humano a otro. Los niños lo hacen muy bien: primero imitan y modelan a sus educadores y luego extraen una evidencia: «el mundo es…».

En realidad, hay tantas representaciones posibles del mundo:

«Todo es ley», escribió Moisés.

2. Programación Neuro-Lingüística.

«Todo es amor», practicó Jesús.

«Todo es infinito», delimitó Copérnico.

«Todo es evolución», descubrió Darwin.

«Todo es inconsciente», analizó Freud.

«Todo es relativo», observó Einstein.

«Todo es biológico», sintió Hamer.

«Todo es subjetivo», definió la PNL.

«Todo es un ciclo en un sentido, todo es sentido en su ciclo», dijo Marc Fréchet.

La ley del amor es infinita en su evolución. El inconsciente es relativo a la biología. Ésta es subjetiva, se inscribe en los ciclos y explica el SENTIDO.

En resumen:

1. Durante mi experiencia en la capellanía, me di cuenta de que escuchar a los enfermos les aportaba mucha alegría, alivio y felicidad; sencillamente escuchando, estando allí.

2. Carl Rogers me permitió escuchar de manera no-directiva, más profunda, más sabia que una escucha amable. Y también más eficaz.

3. Geerd Hamer me enseñó a dirigir la escucha hacia el sufrimiento, hacia donde el paciente no quiere ir y que, a pesar de todo, es el único lugar que hay que comprender para ayudar a curarle su conflicto específico.

4. La PNL continúa enseñándome una escucha cada vez más esmerada tanto de lo verbal como de lo no verbal.

Se trata de resolver, como lo haría un detective, el secreto, el misterio, el sufrimiento o el acontecimiento reprimido que provoca el problema. ¿Cómo hacerlo? El ladrón de la corona se la ha colocado en la cabeza para que nadie la vea, ¡y funciona!

Para disimular nuestro gran problema, tanto a nuestros ojos como a los ajenos, lo hemos escondido. ¿Dónde? ¡En el lenguaje!

5. Marc Fréchet me guió a través de los ciclos para escuchar los «no dichos» de los demás: ¡lo esencial! Ese esencial que, aunque esté escondido, provoca un síntoma que es visible.

Tanto en el cielo como en la tierra, ¿cómo acallar lo esencial?

Conclusión:

6. Ilusión de la omnipotencia que se borra ante el misterio del ser vivo. Con cada nueva generación, se levanta una punta del velo.

Seamos humildes y mostrémonos orgullosos de nuestros decenios, tan ricos en descubrimientos en el ámbito de la salud y el carácter global.

7. Y así, la **insatisfacción** del autor se convierte en motor para otras alturas, para otros autores...

Prólogo

Al principio, fue la luz.

Perfumes deliciosos y nuevos me acarician la nariz.

Es mi primera noche en este planeta. Acabo de llegar: todo está oscuro, no hay luces, ni estrellas. Sólo cantos: el del viento, el del agua, grupos de melopeas que se abren, se mezclan y forman sinfonías. El sonido de una cascada que no veo aunque adivino que está a mi derecha y, más lejos, el gorjeo de unos pájaros.

Debajo del cuerpo estirado, la hierba es dulce y perfumada. Mastico algunas frutas que han caído de los árboles. La tibieza del aire me envuelve y sus aromas me embriagan. Todo es perfecto. Nado y vuelo en plenitud, devorando esta vida a todo pulmón.

En el fondo, me siento colmado, no espero nada, y, de repente, por arte de magia, una luz se eleva en el cielo: ¡es la luna! Y veo. Los ojos abiertos disciernen las formas, el perfil de las colinas sobre el cielo de fondo. ¡Veo! ¡Veo! Me había olvidado de este quinto sentido. La mano saca un mechero del bolsillo. Una pequeña llama blanca y azul me deslumbra, me ciega y el paisaje que distingo a mi alrededor me satisface, me basta, me colma. Dejo en el suelo el mechero encendido y, enseguida, crea una cúpula de luz en el bosque de sombras y yo sigo escuchando el viento y oliendo a azahar.

La luna a lo lejos, el mechero cerca y mis ojos que se deleitan: todo es un espectáculo.

Las cosas podrían detenerse aquí.

Al ver el bosque seco, se me ocurre la idea de entrar en calor. El fuego empieza a crepitar muy deprisa. La deslumbrante claridad que hacía un instante desprendía el mechero se reduce a una débil luz comparada con el bosque ardiendo. Y luego amanece... y el fuego que devasta los árboles palidece y parece insignificante ante la luz del nuevo día.

Mi visión de recién nacido crece, hambrienta de sorpresas y descubrimientos, y cada final, en realidad, no es más que una etapa. La luz del alba suplanta, y la luna, y el mechero, y el bosque, que ya no ilumina nada, van desapareciendo. Pero, ¿qué decimos ante el primer rayo de sol? ¡Y el segundo! La oscuridad desaparece para dar paso a las sombras, esos pedazos de noche que juegan al escondite con el sol durante todo el día.

Si podemos ver la luna y el fuego, el sol está ahí para hacernos ver más cosas aparte de él.

Sucede lo mismo con cualquier tipo de conocimiento.

El conocimiento crece indefinidamente.

Cada conocimiento es una etapa.

El mejor conocimiento no es para sí mismo, sino para nosotros, y para hacernos ver más cosas.

Que este libro te aporte algunas luces para iluminar tu vida.

PRIMERA PARTE

Otro concepto de la enfermedad

Pensar que la naturaleza habla y el género humano no escucha, es algo muy triste.

V. Hugo

Para una nueva orientación de la enfermedad: enfermedad = oportunidad codificada

Cuando me veo obligado a estar todo el día al sol, me bronceo, y el bronceado no es una enfermedad. Este síntoma es una **reacción de adaptación.**

Llega la noche y, aunque ya no estoy expuesto al sol, ¡el bronceado no desaparece! Podemos decir que el bronceado es la fase visible

Fig. 1: *¿Acción o reacción?*

del síntoma, siendo la exposición al sol la fase invisible. El bronceado es la reacción y el sol es la acción. Del mismo modo, la enfermedad es una reacción, una fase visible que sucede a una acción, a una fase que se ha convertido en invisible.

El síntoma es una reacción de adaptación

Para uno mismo

Cuando alguien come hongos en mal estado (acción), enseguida aparecen los síntomas: vómitos, migrañas, diarreas, fiebre, etc. Es la reacción, la fase visible y sensible. Esta enfermedad es una fase de adaptación que permite sobrevivir, una vida segura.

Para el otro

En la sabana africana, imaginemos una manada de leones, con tres leones machos dominantes y una docena de leonas. Una de ellas da a luz ocho leones. Un día, dos de los pequeños caen por un barranco y se hacen daño. La madre los irá a buscar y descubrirá que se encuentran en bastante mal estado. La reacción visible de la madre, el síntoma, será producir más leche porque tendrá que alimentarlos bien para ayudarles a recuperar la salud.

Para la especie

Volvamos a la misma sabana africana donde, ahora, tenemos dos leonas: una tiene un territorio de caza bastante pequeño, y la otra tiene uno más grande. Las dos se han quedado embarazadas del macho dominante de su manada. La primera sólo tendrá dos cachorros. La otra, que tiene un territorio mayor, tendrá ocho. El inconsciente biológico de cada leona produce el número adecuado de cachorros a cada situación. De nada serviría tener diez cachorros si no tiene con qué alimentarlos. Si hay escasez de presas, incluso pueden llegar a desarrollar esterilidad.

El inconsciente biológico

El inconsciente biológico nos gobierna, hasta el momento en que seamos conscientes de ello y retomemos las riendas.

Para seguir con el mismo ejemplo, la leona tiene ocho cachorros. Los más rápidos serán los primeros en llegar a las mamas que dan más leche, las de arriba. Para sobrevivir hay que ser rápido, hay que darse prisa para atrapar el pedazo de comida. Hay una urgencia inconsciente.

Si los cachorros caen por un agujero, la hembra activará una solución biológica inconsciente. Su inconsciente biológico manda a las mamas la orden de fabricar más leche, para que los leones supervivientes puedan curarse, puedan aprovechar más la alimentación que ingieran. Y si, por casualidad, todos los cachorros mueren en el barranco, o los mata un nuevo macho dominante que acaba con todos los descendientes de su predecesor, la hembra, inmediatamente, se encuentra ante otro conflicto biológico inconsciente que, esta vez, afecta a los ovarios: le aparecerán unos quistes, con el objeto de fabricar más estrógenos en vista de una nueva ovulación, un nuevo instinto de reproducción y, por último, la perpetuación de la especie. La hembra buscará al macho, se dejará fecundar y tendrá cachorros nuevos, y todo gracias a la sobreproducción de estrógenos generada por los quistes en los ovarios. Los tumores en las mamas de las leonas no son una enfermedad, sino remedios de curación. Bajo este prisma, el síntoma se convierte en una adaptación biológica de supervivencia.

A través de estos ejemplos, tomados muy libremente de la etología, vemos que la enfermedad, el síntoma, se puede representar como una solución biológica de supervivencia del individuo, del grupo o de la especie.

Si fabrico más tiroxina en la tiroides para acelerar mi metabolismo y así poder llegar antes a las mamas de arriba, es por una cuestión de supervivencia personal. Si produzco más leche, es por la supervivencia de los cachorros. Si fabrico más estrógenos y más óvulos, es por la supervivencia de la especie. Volviendo al ejemplo del bronceado, es un síntoma que aparece para mi supervivencia personal, para mi comodidad. La biología favorece primero a la supervivencia, después a la comodidad y, por último, a la estética.

La biología no hace nada por casualidad. El inconsciente es inteligente. Podemos constatar que una inteligencia escondida sigue siendo inteligencia, igual que no hay enfermedad que no tenga un sentido escondido. El síntoma es una reacción. Una enfermedad siempre es una reacción a algo distante que se ha convertido en invisible. E, insisto, generalmente sólo vemos las reacciones, la parte visible, mientras que hay algo que es invisible, una acción olvidada. A veces, tenemos la sensación de que la naturaleza se acelera, que no se detiene ante nada. Es imprescindible buscar la acción detrás de la reacción. Cuando vemos que la naturaleza se acelera, sólo vemos la reacción. Pero es la acción, que es invisible, la que da sentido al síntoma, la que permite desdramatizar, curar, mediante la toma de consciencia y la reorientación de la energía.

Puede parecer un poco paradójico, incluso provocador, decir que las enfermedades existen para curarnos... El medicamento está ahí, encima de la mesa, para curarnos, pero podemos tomárnoslo o ignorarlo. Del mismo modo, la palabra está ahí, la advertencia está ahí, se da una información: todas tienen su objetivo, y siempre somos libres de escucharlo o no, de descodificarlo o no. Por lo tanto, la enfermedad es una oportunidad suplementaria de sobrevivir: si me bronceo, es para no quemarme. Ahora bien, si me quedo al sol días y días, puedo acabar quemándome. Cualquier enfermedad, cualquier síntoma, responde a una intención positiva.

Metáfora del mundo animal

Una metáfora, igual que una fábula o una leyenda, es una mentira que dice una verdad. Por lo tanto, no hay que tomársela al pie de la letra...

Había un zorro que, después de muchos años, tenía la costumbre de robarle una gallina por semana al granjero que vivía cerca del bosque. Un día, a principios del invierno, el granjero decidió marcharse y se fue a la ciudad. Inmediatamente, el zorro hizo un conflicto biológico de falta de alimentación. Como el hígado tiene la función biológica (entre otras) de metabolizar y acumular la comida, su solución biológica de supervivencia fue aumentarlo de tamaño, y lo hizo mediante lo que se conoce como nódulo. Este zorro, que se comía las gallinas, sólo digería el 30 % y el resto lo expulsaba con los excrementos. Ahora que tiene que alimentarse a base de ratones y otros pequeños roedores, absorbe el 98 % de la comida: lo consume todo y lo almacena en los nódulos del hígado, en forma de glicógeno. Necesita hacerlo porque existe un riesgo real de quedarse sin comida. Hay un interés en no quemarlo todo, en guardar energía para poder seguir cazando y sobrevivir.

Por lo tanto, cuando no hay peligro de quedarse sin comida, lo quema todo sobre la marcha. Cuando ese peligro es real, lo almacena en el hígado, en los nódulos, que son como un granero o un almacén de comida, y gracias a este hígado complementario, y al extra de energía que ello provoca, podrá seguir cazando, viviendo y pasando el invierno. Cuando llegue la primavera, volverá a haber abundante comida y podrá destruir ese granero suplementario. El nódulo desaparecerá espontáneamente porque ya no tendrá razón de ser.

Al principio, fue la biología

Ni psicológica ni simbólica, lógica

Lo fundamental para nuestro propósito es comprender muy bien que el ser vivo se inscribe, en primer lugar, en una realidad biológica.

Desde el momento de la concepción, desde el momento en que un espermatozoide y un óvulo se encuentran, se produce la creación de un cigoto. El óvulo y el espermatozoide tienen, cada uno, veintitrés cromosomas. Cuando se encuentran, estos cromosomas se aparean y, por lo tanto, el cigoto tiene veintitrés pares de cromosomas.

Todos los ovocitos, los óvulos, están presentes en el cuerpo del bebé hembra desde el nacimiento. Tiene 400.000 óvulos, que no se renuevan.

El macho, en cambio, está permanentemente fabricando espermatozoides nuevos, que sólo serán efectivos en los conductos genitales de la mujer. Durante la relación sexual, el hombre envía unos doscientos millones de espermatozoides, que llegan a los conductos genitales femeninos, donde se activan. Solamente unos cuatrocientos llegarán a la trompa de Falopio. Una parte de los espermatozoides se quedará atrás, para desarrollar el papel de guerrero en el caso que otro macho eyaculara dentro de la misma hembra. Su función es neutralizar los espermatozoides que pudieran llegar a la trompa de Falopio después que ellos. Hay otro grupo intermedio, que sirve de barrera contra los espermatozoides de otro macho. Y un tercer grupo de espermatozoides que intentarán fecundar el óvulo.

El espermatozoide, que es masculino y activo (lo propio en los machos es ser activos), cuando llega al tercio superior de la trompa se encuentra con un óvulo que, básicamente, es pasivo (lo femenino es pasivo). Un enzima específico que tiene en la cabeza disolverá la primera de las tres membranas del óvulo. Así entra dentro del óvulo que, a partir de ese momento, es activo; los espermatozoides que quedan fuera son inútiles, pasivos.

Desde el principio de la vida, cuando lo femenino está en conflicto, se convierte en activo. Lo masculino, en cambio, se convierte en pasivo.

A partir del momento en que un espermatozoide se ha introducido en un óvulo, éste produce una reacción química que impide el acceso de otros espermatozoides. Si no se produce la fecundación, este óvulo desaparecerá en veinticuatro horas. Sin embargo, si se produce la fecundación, el cigoto, esa célula única, se partirá en dos al cabo de treinta horas. Después, al cabo de cuarenta horas, se volverá a dividir, en cuatro, en dieciséis... El tercer día, tenemos un grupo de células, todas idénticas. El cuarto día, llegan al útero, en cuya mucosa quedan fijadas. En cierto modo, es un cuerpo extraño, como un «parásito», pero que el organismo no debe rechazar. Por eso, para evitar ese rechazo, se producirán determinados fenómenos.

A partir del sexto día, se inicia un pasaje biológico de aceptación. El sistema neurovegetativo basculará hacia un dominio del sistema parasim-

Espermatozoide + óvulo = embrión → 2 células idénticas → 4 células idénticas → 16 células idénticas

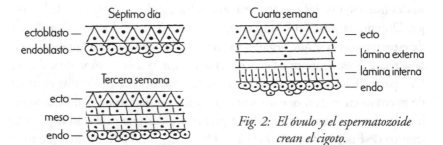

Séptimo día
ectoblasto —
endoblasto —

Tercera semana
ecto —
meso —
endo —

Cuarta semana
— ecto
— lámina externa
— lámina interna
— endo

Fig. 2: El óvulo y el espermatozoide crean el cigoto.

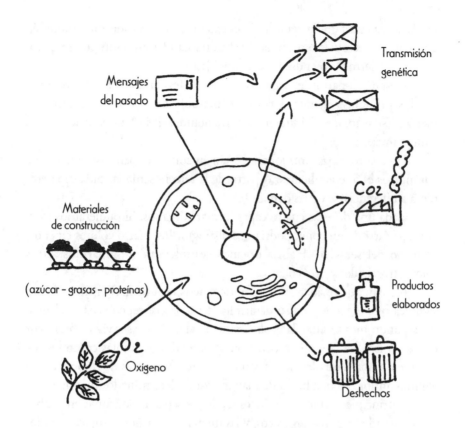

Fig. 3: Las grandes funciones de cada célula del cuerpo humano.

pático, el sistema vago, es decir, el sistema de relajación del organismo. Espontáneamente, con el paso de los días, todos los conflictos que estaban activos quedarán aparcados. Es el estado de budeidad: la hembra engorda, le crecen los pechos… Es un estado de aceptación, de ausencia de problemas.

Las cuatro capas embrionarias

Entre la primera y la tercera semana, se forman las cuatro capas embrionarias. De hecho, hasta el octavo día, el cigoto está formado por un grupo de células idénticas. Más tarde, este cigoto se diferencia, se divide en dos familias de células que son independientes y siguen su propio desarrollo. Una de esas familias gira hacia el exterior; es el **ectodermo*** (también denominado ectoblasto o epiblasto). La otra familia, más interior, se denomina **endodermo*** (o endoblasto o hipoblasto).

Después, a partir del decimosexto día, se forma una tercera capa entre las dos primeras: el **mesodermo*** (o mesoblasto), es decir, la capa del medio. Esta capa se dividirá en dos, resultando en la lámina externa y la lámina interna.

Las cuatro capas embrionarias están en contacto, pero son totalmente autónomas e independientes. A partir de la tercera semana, cada capa empieza a diferenciarse de las demás.

Cada una de estas cuatro capas formará órganos. Si pudiéramos marcar cada capa de un color, podríamos distinguir los cuatro colores en el organismo del ser vivo. Habría órganos completamente amarillos, otros rojos, otros azules y otros blancos.

No hay que olvidar que la embriogénesis resume la filogénesis.[3] Esto significa que el cigoto, en su desarrollo desde la concepción hasta el final del segundo mes, resume la evolución de la vida de ese ser vivo. Pasará por etapas en las que será una cabeza con cola, tendrá branquias como los peces, membranas entre los dedos como los patos, tres pares de riñones como algunos anfibios o una hilera de mamas, como determinados mamíferos...

A principios del tercer mes, los tejidos se separan, se empiezan a esbozar los grandes sistemas orgánicos, y las mamas y los riñones suplementarios desaparecen, así como las branquias, la cola y las membranas entre los dedos.

Concepción   2.º mes   nacimiento 20 años   80 años

--------------------------------------→

Big Bang / era primaria / secundaria / terciaria / cuaternaria

Branquias   Membranas
      Riñones

                       Mamas

Fig. 4: Los dos primeros meses de nuestra vida son los más largos de la existencia.

3. Filogénesis [raza (filo), nacimiento (génesis)]: nacimiento y desarrollo de las especies a lo largo de la historia.

Para que nos hagamos una idea, cuando un óvulo blanco se encuentra con un espermatozoide negro, se forma una nueva célula gris, que se divide en dos, en cuatro, ocho, dieciséis... células grises, todas idénticas.

Más tarde, en un momento determinado, las células grises se transforman en células azules o amarillas, como un cojín azul encima de una silla amarilla. Las células azules se multiplican en miles de células azules, y las amarillas, en miles de células amarillas. Un poco más tarde, en medio, aparecen unas células rojas que se multiplicarán bien en miles de células violetas o en miles de células naranjas. Las células del endodermo serán azules, las del ectodermo amarillas, las de la lámina interna violetas y las de la lámina externa naranjas.

A continuación, y esto es fundamental (*véase* pág. 34), las células azules se encargarán de fabricar determinados órganos, llamados arcaicos; las violetas otros (pleura, senos, etc.), las naranjas otros y, por último, las amarillas se encargarán de los órganos que aparecieron en último lugar en la evolución.

Pasemos ahora a reflexionar sobre las particularidades de cada capa.

1. Endodermo

Los órganos formados con células de la **primera capa**, el endodermo, están relacionados con las funciones vitales: los alvéolos de los pulmones para respirar, los tejidos del hígado para almacenar la comida, el intestino para digerirla... Todo lo que se corresponde con las funciones vitales, arcaicas, comunes a todos los animales, y que encontraremos en los primeros niveles de la pirámide de necesidades de Maslow (*véase* pág. 37).

Durante la evolución del ser vivo, la filogénesis, la primera capa corresponde a la aparición de la vida en sus primeras funciones: conseguir alimentos, oxígeno, eliminar los desechos y reproducirse. La imagen más arcaica es la del tropismo, que incluso es visible en los organismos unicelulares: ir hacia el alimento, fagocitarlo, engullirlo, digerirlo y eliminar los deshechos. En palabras un poco más descriptivas, se trata de mantenerse en una zona propicia para la respiración y el intercambio absolutamente vital con el medio y los demás organismos y, al final, garantizar la continuidad de la vida al mismo nivel (mitosis). Ése es el único horizonte posible para los organismos primitivos.

Cada célula contiene estas grandes funciones (*véase* Fig. 3).

¿Cómo se interpreta esto en los humanos? La alimentación puede adquirir un sentido figurado y puede significar todo lo que la persona considere indispensable dentro de sus creencias de necesidad. Puede que alguien lo relacione con la comida y el trabajo: «ganarse el pan». «¿Cómo me las voy a arreglar para alimentar a mi familia? No gano bastante para alimentar otra boca… Me voy a quedar sin recursos.» De este modo, los despidos, el paro, el divorcio, las separaciones, etc., según cómo los viva cada uno, pueden adquirir esta coloración arcaica, vital.

El impacto puede llegar a temas satélite más alejados que la alimentación, muy variables dependiendo de la personalidad, la educación y las creencias de cada uno. Por ejemplo, el dinero (obtener un préstamo, una beca, un aumento de sueldo, heredar dinero), los clientes, la casa, las vacaciones, etc. Para todas estas realidades que acaban afectando a las funciones vitales es imprescindible atrapar el pedazo de comida.

2. Mesodermo (lámina interna)

La **segunda capa** embrionaria (lámina interna o mesénquima) también se corresponde con la evolución del ser vivo.

Lo que sucede a partir de la tercera semana, es decir, a partir del momento en que la madre descubre que está embarazada («¡Vaya, no me ha venido la regla!»), es muy importante psicológicamente.

A la mujer ya hace una semana que le tendría que haber venido la regla, y no le ha venido porque, en el momento de la ovulación, se produjo la fecundación. Pasados catorce días, si la regla no viene, la mujer empieza a preocuparse o a estar contenta. Es justo entonces cuando se forma el mesodermo, al decimosexto día. Y no es casualidad, porque el mesodermo corresponde a todo lo relacionado con los valores («¿Tengo sentido? ¿Valgo algo?») y con la protección («¿Estoy protegido o no?»). Si, en ese momento, la mujer no le da ningún valor al bebé, o si se siente agredida por el embarazo, ese recuerdo se inscribirá en el mesodermo que está a punto de formarse.

La tercera semana, teniendo un retraso de una semana, la mujer está casi segura de que está embarazada. Es en ese momento cuando cada capa empieza su diferenciación interna. Hasta la tercera semana, las células de cada capa se reproducían de manera idéntica. A partir de este momento, las células madres crean células hijas distintas, que se convertirán en órganos distintos, siguiendo una diferenciación interna específica en cada capa.

La lámina interna corresponde a la protección, y fabrica los órganos con esta función: la dermis (la piel, el corion, la «piel de cocodrilo», que tiene muy poca sensibilidad, donde encontramos las uñas y el pelo; el bronceado, destinado a proteger la piel del sol, también se sitúa en este nivel). Existen, además, protecciones más específicas, como la protección de los pulmones por la pleura, de los intestinos por el peritoneo, del corazón por el pericardio, del cerebro por las meninges. La trompa de Eustaquio protege el oído mediano. La glándula de los senos también se encuentra en esta capa: es una glándula sudorípara que ha sufrido una mutación para producir leche. En este caso, no sirve para protegerse a uno mismo, sino a los descendientes.

En la filogénesis, esta capa se forma en el momento de la transición de los organismos vivos del medio líquido al medio terrestre. En ese momento, el ser vivo se encontró ante la necesidad de distinguirse de ese medio más denso, más mineral y, por lo tanto, fue objeto de más agresiones. En efecto el organismo está formado, en su mayor parte (70 % en el caso de los humanos), de agua. Para entender los trazos psíquicos que nos quedan de esa transición, hay que observar esta noción de interior en el espíritu y la necesidad de protegernos, de frenar todos los ataques. Sufriremos conflictos por sentirnos agredidos, así como conflictos de deshonra y ataque a la integridad (que afectan a la dermis).

3. Mesodermo (lámina externa)

La **tercera capa embrionaria** (lámina externa) es la que nos permite mantener el organismo unido y equilibrar las molestias: relaciona los órganos de estricta necesidad vital con los órganos más abiertos al exterior. En la evolución filogenética se corresponde, precisamente, con la aparición del sistema óseo vertebrado y muscular, para poder sostenerse y moverse al mismo tiempo de manera más eficaz. Esta capa embrionaria produce los **somitas:** los tejidos conjuntivos, los huesos, los músculos, los ligamentos, los tendones, los ganglios, las venas, las arterias, la grasa.

En el ser humano, el sentimiento de individualidad, del valor propio, se sitúa en esta capa: distinto del medio pero, a la vez, en continuidad con el tejido ambiente. Es un poco como si el ser vivo ya hubiera resuelto sus problemas de delimitación, de integridad de su espacio interior. Es entonces cuando se pregunta quién habita ese espacio. Las cosas ya no suceden en los límites, sino que uno ya puede preguntarse sobre sí mismo y sus preocupaciones más profundas: «¿Qué importancia tiene en mi espacio interior?». Si esta pregunta es demasiado importante, nos arriesgamos a reducirnos, a quedarnos en el espacio de nuestra propia conciencia. Este fenómeno también nos obliga a entender que, a fin de cuentas, nada ni nadie nos puede invadir hasta ese punto sin que seamos conscientes de ello, y esto siempre nos da un punto de apoyo para encontrar un equilibrio sano.

La función dominante de esta capa es dar la dirección, el sentido, el movimiento, la exploración del mundo. Al ser responsable de la estructura interna, los conflictos que afecten a esta capa se vivirán en términos de desvalorización y de dirección.

4. Ectodermo

La **cuarta capa** (ectodermo) imprime en el organismo la marca de la evolución más orientada hacia el exterior. Concierne a todo lo que es la vida relacional. En ella encontramos los órganos sensoriales, así como el sistema nervioso y determinados órganos que acaban de completar y elaborar las tres capas precedentes, por ejemplo, los bronquios, que unen los alvéolos del pulmón con el exterior, o los uréteres, que van del riñón hasta el exterior.

La consecuencia de esta evolución, en el plano del psiquismo humano, es que uno no sólo se afecta a sí mismo, sino que sobre todo se «proyecta» en un entorno cada vez más vasto, cambiante y complejo. Por lo tanto, resulta imposible no prestar atención a lo que pasa a nuestro alrededor, es imposible no estar en relación con el entorno. En esta capa es donde se imprimen los conflictos de relación y los intelectuales, más elaborados.

Cielo	Externo	Ectodermo
Escudo (pantalla de protección)	Externo (protege del cielo) Interno (protege de la tierra)	Mesodermo
Tierra	Interno	Endodermo

Fig. 5: El hombre chino entre el cielo y la tierra.

Doy las gracias al señor Hervé Decoux, a quien debemos el esquema anterior en el que se muestran los puentes entre la energética china y las capas embrionarias.

Lista de los principales órganos por capa embrionaria[4]

ENDODERMO
Destino:
El tubo digestivo y la parénquima de las glándulas anexas (salivales, hígado y páncreas); el aparato renal: la vesícula (excepto el trígono), la próstata y gran parte del uréter; el aparato respiratorio: la tráquea, los bronquios, los alvéolos; los derivados endobronquiales: el timo, el tiroides, el paratiroides, la faringe, la caja del tímpano y la trompa de Eustaquio.

- AMÍGDALAS
- APÉNDICE/INTESTINO CIEGO
- BOCA: bajo mucosa
- DUODENO (excepto el bulbo)
- ESTÓMAGO: gran curvatura
- HÍGADO: parénquima
- GLÁNDULAS LAGRIMALES
- GÓNADAS: ovarios, testículos
- EPIPLÓN GRANDE
- HIPÓFISIS: adenohipófisis
- INTESTINO: colon
- INTESTINO DELGADO: yeyuno/íleon
- INTESTINO: recto, sigmoides
- ESÓFAGO: tercio inferior
- OÍDO MEDIANO
- PÁNCREAS: parénquima
- FARINGE

- PULMONES: alvéolos
- PRÓSTATA
- RIÑONES: conductos colectores
- TIMO
- TIROIDES: parénquima
- PARATIROIDES: parénquima
- TRACTO DIGESTIVO: bajo mucosa
- TROMPA DE EUSTAQUIO
- TROMPAS UTERINAS
- ÚTERO: mucosa corporal
- VEGETACIONES ADENOIDES
- VEJIGA

LÁMINA INTERNA
Destino:
La lámina lateral, mesotelio de las cavidades serosas: capa parietal y visceral del peritoneo, de la pleura y del pericardio. Somitas: dermis cutánea.

- ESCROTO
- MENINGES
- PIEL (dermis)
- PERICARDIO
- PERITONEO
- PLEURA
- SENOS: glándula, dermis
- TROMPA DE EUSTAQUIO

4. El destino de las capas embrionarias es invención de Drews Ulrich, *Atlas d'embryologie,* Flammarion, París, 1994.

LÁMINA EXTERNA

Destino:

La lámina lateral: corticosuprarrenal, los músculos de las vísceras y de los vasos sanguíneos, los ganglios y los vasos linfáticos. La lámina intermedia: sistema urogenital, las gónadas y los canales y glándulas anexas. Somitas: esqueleto, los músculos estriados, el tejido conjuntivo de sostén flojo y modelado, la dentina.

- ARTICULACIÓN MAXILAR
- CORAZÓN
- CORTICOSUPRARRENALES
- DENTINA
- GANGLIOS
- GÓNADAS: ovarios, testículos (zona intersticial)
- HIPODERMO
- MÚSCULOS LISOS Y MÚSCULOS ESTRIADOS
- HUESOS
- BAZO: plaquetas
- RIÑONES: parénquima
- SANGRE
- TENDONES
- TEJIDO CONJUNTIVO
- ÚTERO: músculos lisos
- VASOS LINFÁTICOS
- VENAS

ECTODERMO

Destino:

Neuroblasto: neuraxis, retina, ganglios nerviosos cerebroespinales y simpáticos, nervios craneales, medulosuprarrenal. Epiblasto: epidermis, fáneros, mucosa anal, vaginal, bucal, de las orejas internas, el cristalino, el iris, el esmalte dental, antehipófisis.

- AORTA
- ARTERIAS CORONARIAS
- BOCA: mucosa
- BRONQUIOS
- DIENTES: marfil
- ESTÓMAGO (pequeña curvatura)
- BULBO DUODENAL-PÍLORO
- TEJIDO NERVIOSO
- GLÁNDULAS SALIVALES: canales
- LARINGE
- NARIZ: mucosa
- ESÓFAGO: dos tercios superiores
- OÍDO INTERNO
- EPIDERMIS
- RECTO
- RIÑONES: pelvis del riñón
- CONDUCTOS BILIARES Y PANCREÁTICOS
- SENOS: canales galactóforos
- TIROIDES: canales excretores
- URÉTER
- ÚTERO: cuello
- VAGINA
- VENAS Y ARTERIAS CORONARIAS
- VENA PERIFÉRICA
- VESÍCULAS SEMINALES
- VEJIGA (mucosa)
- VÍA LAGRIMAL

La pirámide de las necesidades biológicas

La biología humana viene determinada por un número definido de «casillas», como las palancas de las letras de una máquina de escribir. Estas casillas caracterizan nuestra especie y nuestra función biológica. No somos capaces de apreciar la música de Mozart únicamente porque tengamos orejas. Los perros también captan los ultrasonidos y el ruido de las presas. Este ejemplo sirve para subrayar esta realidad biológica de referencia. Partimos de la biología para encaminarnos hacia la psicología. Al principio, la vida fue biológica por naturaleza y psicológica por accidente. Y por eso, desde el principio, la especie humana debe apoyarse sobre las bases del ser vivo, el desarrollo del cigoto.

Estos elementos fundamentales, fundadores de nuestra identidad biológica, son los fundamentos de todas nuestras necesidades.

Inspirándome en Maslow y otros autores, propongo una Pirámide de las Necesidades Biológicas paralela a las etapas del desarrollo psicoafectivo del ser vivo (endo, meso y ectodérmicas).

0. **Necesidad de ser el proyecto** de otra persona para ser retoño y sentido. En la base del tronco cerebral está el centro de la desesperación/razón de ser.

1. **Necesidades arcaicas de supervivencia:** un pedazo de comida renovable, aire, perpetuar la especie.
   Necesidades endodérmicas: aparatos digestivo, respiratorio y sexual.

2. **Necesidad de seguridad:** de protección contra las agresiones, los depredadores. Para controlar las situaciones, se trata de disimularse, disfrazarse o camuflarse (como el camaleón).
   Necesidades mesodérmicas internas.

3. **Necesidad de comodidad:** de protección contra el frío, el calor, los rayos ultravioleta; necesidad de dormir.
   Lámina interna.

4. **Necesidad de crecer, de explorar.**
   Lámina externa: los músculos; ectodermo: los órganos sensoriales y los nervios motores.

5. **Necesidad de dar valor**, sentido, a cada órgano físico.
Lámina externa: el esqueleto, los tejidos conjuntivos.

6. **Necesidad de pertenencia**, de inclusión en un grupo.
Lámina externa: las glándulas suprarrenales, los parénquimas renales.

7. **Necesidad de amor**, por parte de los demás y de uno mismo.
Quererse y que te quieran (Tálamo).

8. **Necesidad social**, relacional: que los padres, el jefe, los clientes, los pacientes, el panadero y todo el universo nos valore... para ser autónomos.
Ectodermo: recto, epidermis, aparato digestivo, gónadas mesodérmicas.

9. **Necesidad de tener un lugar propio**: en un territorio acotado, respetado y en un territorio sexual seguro.
Ectodermo: venas, arterias coronarias, vejiga, cuello uterino, bronquios, laringe.

10. **Necesidad de consciencia del propio pasado**: poder nombrar lo que cada uno vive, tomar consciencia de ello, expresarlo en voz alta y, así, curar los recuerdos familiares y personales inconscientes.
Ser/Estar *émaillé*,* «constelado».

11. **Necesidad de ser escuchado**: en todas las emociones, de sentirse aceptado.
Aparato digestivo.

12. **Necesidad de guardar duelo por lo ideal**: en o según uno mismo, del padre o la madre ideal que nunca tendré, del jefe ideal, de la mujer o los niños ideales que jamás tendré.
Vías biliares y *émaillage*,* «constelación».

13. **Necesidad de sentido, de referencias** espirituales que no cambian.
Aparato urinario; *les émaillages*,* «constelaciones».

14. **Necesidad de creación**, de perpetuarse, de realizarse, de libertad, de lo desconocido, de lo espiritual que cambia.
Aparatos respiratorio y sexual.

15. Necesidad de vivir el momento presente.

No hay conflicto.

16. Necesidad de no necesitar nada.

No biológico.

Cuando esta lista de necesidades está satisfecha, no hay más cuestiones ni angustias sobre el sentido de la vida o la misión.

Si las necesidades fundamentales no se satisfacen, las otras no se satisfarán nunca. Si no me alimento, no podré satisfacer la necesidad de ver la película del domingo por la noche, que forma parte de las necesidades secundarias.

Si el ser humano olvida su realidad biológica, esa realidad no lo olvidará y se manifestará en forma de síntoma. Si nos olvidamos de comer o de beber, tendremos hambre o sed.

Las necesidades biológicas fundamentales son comunes al hombre y al animal. Cuando vivimos un drama, el ser humano lo traduce en realidad biológica. Si me despiden, no hay una realidad biológica llamada «despido», pero sí una realidad biológica que es el miedo a morir de hambre. Así pues, puedo vivir este acontecimiento como un sobreestímulo de las funciones del hígado.

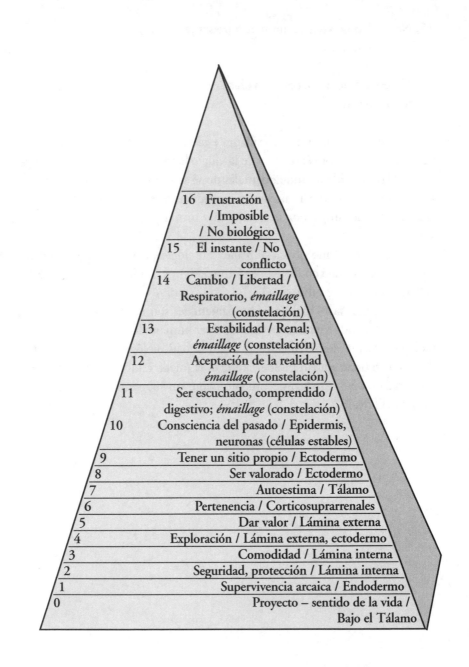

16 Frustración / Imposible / No biológico

15 El instante / No conflicto

14 Cambio / Libertad / Respiratorio, *émaillage* (constelación)

13 Estabilidad / Renal; *émaillage* (constelación)

12 Aceptación de la realidad *émaillage* (constelación)

11 Ser escuchado, comprendido / digestivo; *émaillage* (constelación)

10 Consciencia del pasado / Epidermis, neuronas (células estables)

9 Tener un sitio propio / Ectodermo

8 Ser valorado / Ectodermo

7 Autoestima / Tálamo

6 Pertenencia / Corticosuprarrenales

5 Dar valor / Lámina externa

4 Exploración / Lámina externa, ectodermo

3 Comodidad / Lámina interna

2 Seguridad, protección / Lámina interna

1 Supervivencia arcaica / Endodermo

0 Proyecto – sentido de la vida / Bajo el Tálamo

SEGUNDA PARTE

Panorámica general

Todo se adapta o desaparece.

Este libro aborda las grandes leyes biológicas que controlan la aparición y desaparición de las enfermedades. Estas leyes están relacionadas entre ellas y **se aclaran mutuamente**. La razón de ser de esta panorámica general es permitirte conocer las grandes líneas que se detallarán en los siguientes capítulos.

La unidad del ser vivo

(cf. 3.ª parte, 3, pág. 98)

Más allá de las causas, la noción de enfermedad psicosomática, o de reacción biológica, sobreentiende la unidad fundamental del ser vivo. Una unidad que **se expresa** de mil maneras como, por ejemplo, el psiquismo, las emociones, el cuerpo o, incluso, las enfermedades. ¡Las enfermedades!...

[...] Cada uno presiente que hay algo detrás de ellas, que el síntoma no es producto de una casualidad. Pero, ¿qué sentido tiene ese síntoma, esa enfermedad? ¿Qué intenta decirnos?

Cuando, en el lenguaje popular, alguien dice: «este tipo me provoca una úlcera, no lo trago», en esas palabras se encuentra la expresión de los males. Hablamos con los órganos. Generalmente, se reconoce por el asma, la úlcera en el estómago, el eczema y, cada vez más, por el cáncer. Hay quien cree que están, por un lado, las enfermedades psicosomáticas y, por el otro, las demás, las que no lo son... ¡Pero nadie sabe especificar dónde está el límite entre ellas!

El hombre es una unidad indisociable. Si es capaz de entender que no hay ni una sola célula del cuerpo que escape al control del cerebro, si es capaz de entender que no hay ninguna parte del cerebro que sea autónoma, que escape al control del pensamiento, consciente o inconsciente, entonces está preparado para entender que no hay ninguna enfermedad que no sea psicosomática, porque no hay ninguna célula del cuerpo humano que escape al psiquismo. En los círculos científicos, cada vez se toma más en serio mediante los crecientes estudios acerca de los mediadores químicos, las hormonas y los neurotransmisores, que son los mensajeros de la información conjuntamente con la bien sabida, aunque a menudo disimulada, utilización del efecto placebo.

El ser vivo es uno, y esa unidad se compone de cuatro realidades inseparables:

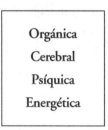

Orgánica
Cerebral
Psíquica
Energética

Cuando leas esto, hazlo con los ojos, el cerebro, la educación y el estado energético (el estar más o menos en forma puede afectar a la lectura).

Un choc siempre va acompañado de un sentimiento personal, que repercute en los cuatro niveles de la biología, y entramos en una primera fase de tensión. Del mismo modo, cuando encontramos una solución, estos cuatro niveles se curan simultáneamente.

Verde = verde, seguro; pero añádele un poco de verde al verde, y el resultado será verde. Por lo tanto, verde + verde + verde + verde... = verde.

Fig. 7: El ser vivo es singular, se conjuga en plural.

Fig. 8: La unidad del ser vivo.

Sin ningún tipo de duda, todas las enfermedades tienen un lazo de unión con el mundo del pensamiento y las emociones (creencia y sentimiento).

Según mi experiencia, por poco que uno se tome el tiempo para escuchar al paciente sin reconocimientos previos, podrá escuchar la palabra que lo inició todo: una palabra no dicha, un sufrimiento, un trauma que se ha encarnado en su cuerpo.

La enfermedad es un recurso de supervivencia

(cf. 3.ª parte, 1, pág. 49)

> *Cualquier síntoma, sea el que sea,*
> *siempre tiene un sentido*
> *siempre tiene su origen en un choc*
> *que apareció en un instante.*

El zorro llega a la granja como de costumbre y ve que está vacía; los cachorros de león caen por un precipicio… Todo empieza en un instante, un segundo. Cuando alguien come hongos en mal estado, hay un antes y un después muy claros. En esta línea de tiempo, hay un momento preciso, un choc, de intensidad más o menos importante. Inmediatamente, la persona entra en un estado de tensión física, de estrés, que es la reacción ante lo imprevisto.

En el momento del choc, el ser vivo no siempre tiene, allí mismo y disponible, una solución concreta y consciente. Por lo tanto, deberá buscarla en otra parte y por otros medios. Es evidente que si aquí no tengo comida, y sé que puedo conseguirla allí, me iré: tengo una solución concreta. Pero si no la tengo, el inconsciente se inventa una vía suplementaria de supervivencia: lo que llamamos un síntoma. Es una solución, o una tentativa de solución, inconsciente e involuntaria.

En los ejemplos presentados, serían el nódulo en el hígado, los quistes funcionales en el ovario o el bronceado si no puedo hacer la vendimia a la sombra.

El choc

(cf. 3.ª parte, 1, pág. 49)

En el origen de todo síntoma (físico, orgánico o funcional; psíquico, problemas de conducta, psiquiátrico, situación de fracaso; enfermedades genéticas o infecciosas) se produce un acontecimiento conocido como choc o traumatismo. Es un acontecimiento externo que perciben los cinco sentidos.

Para transformarse en síntoma, el choc debe responder a **cuatro criterios:**

- **Dramático** (pequeño drama o uno más importante)
- **Inesperado**
- Experimentado **a solas**
- **Sin solución** duradera satisfactoria

Fig. 9: El choc.

El sentimiento biológico

(cf. 3.ª parte, 1, pág. 63)

Si ya no tengo nada para comer, mi psiquismo se encuentra en un estado particular; una zona precisa del cerebro (que los científicos empiezan a denominar brainoma*) dará órdenes precisas como, por ejemplo, al hígado de desarrollar un tumor. Un profesional de la acupuntura o de la energética podrá objetivar esta realidad energética. Cuando encuentro trabajo, o comida, también encuentro la serenidad a nivel psíquico. Entonces, el cerebro da una orden distinta al hígado, que pasa a una segunda fase: se curará porque ya no tiene sentido producir nódulos.

El choc llega en un instante. Se experimenta de manera muy personal, aunque siempre sobre un fundamento biológico.

Para volver al ejemplo del despido, se puede vivir como un miedo a morir de inanición, por falta de comida (→ hígado), o como una pérdida del espacio, del territorio (→ arterias coronarias), o incluso como una mancha que hiere a la persona (→ dermis), etc.

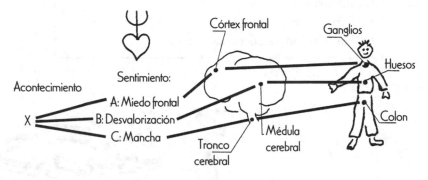

Fig. 10: El sentimiento.

Real = imaginario
(cf. 3.ª parte, 4, pág. 109)

De entrada, hay que subrayar un fenómeno de importancia mayúscula: el cerebro no distingue entre lo real y lo imaginario.

Tanto si tengo una ostra en mal estado en el estómago como si alguien me ha dicho algo inaceptable, la sensación siempre será la misma: tener algo indigesto en el estómago. La biología sólo conoce situaciones biológicas de referencia, arquetípicas.

Todo lo que captamos a través de los cinco sentidos se traduce en realidad biológica. El cerebro tiene dos grandes puertas de entrada: los cinco sentidos, que transmiten la información que perciben del exterior, y los captadores neurovegetativos, que vienen del interior del cuerpo. Todo lo que llega a través de los sentidos, o del pensamiento, lo imaginario, se traduce de manera biológica y provocará, si no hay una solución concreta y consciente, una reacción biológica, un síntoma. Eso explica que después de escuchar algo realmente desagradable, podamos tener acidez en el estómago, desarrollar un tumor o un melanoma. Tú mismo puedes hacer la prueba: cierra los ojos. El cerebro no distingue entre un trozo de limón en la boca y la idea de un trozo de limón en la boca. Nuestra realidad biológica humana no sabe diferenciar entre lo real, lo imaginario y lo virtual.

Fig. 11: Real = imaginario.

Las tres fases de la enfermedad
(cf. 3.ª parte, 2, pág. 85)

Inmediatamente después de un choc, el cuerpo entra en la primera fase de la enfermedad, la fase de reacción al estrés. El objetivo de esta primera fase es dirigir al ser vivo hacia una solución duradera. Bajo determinadas circunstancias, que detallaremos más adelante, puede ser la misma enfermedad la que aporte una solución. Por ejemplo, para una persona que siempre va con prisas, que siempre tiene que ir más rápido que los demás, un nódulo en el tiroides (que, de golpe, envía más tiroxina y aumenta el metabolismo del cuerpo) es una solución eficaz para ser más rápido.

Para ilustrar la realidad biológica de las distintas fases de las enfermedades, basta con observar y contrastar el nivel de estrés de un deportista en el campo. Está en un estado de estrés útil para ganar (ya sea el partido, dinero o un valor personal). Una vez termina el partido, vuelve a los vestuarios lentamente, haya ganado o perdido. Entra en la segunda fase, la de recuperación, una fase que siempre viene acompañada de cansancio, de relajación general, muscular, física, psíquica y energética. Ya no está estresado por un objetivo, la victoria.

A partir del choc, el individuo entra en conflicto biológico, en fase de conflicto activo, de estrés. A esta primera fase la seguirán dos más. La enfermedad está ahí como un sistema de espera, espera de una solución satisfactoria. La función del estrés es orientar al individuo hacia la búsqueda de esa solución. Cuando la encuentra, pasa inmediatamente a la segunda fase, donde ya no hay conflictos, ni problemas, ni dramas: fase de reconstitución, de reposo, de reparación, durante la que la persona puede sufrir síntomas de fatiga o inflamación. Al final, aparece una tercera fase, la de la resolución definitiva del conflicto, la del regreso integral a la salud.

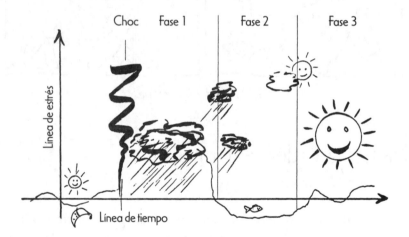

Fig. 12: Las tres fases de la enfermedad.

Resumen

Todos los síntomas **aparecen por un choc** preciso, real o imaginario, que nos hace entrar en una **fase de estrés en los cuatro niveles** de la biología.

En función del **sentimiento** particular, el choc afecta a una zona precisa del **cerebro**, visible por el escáner, a un **órgano** y a una realidad energética. El objetivo de la primera fase es, una vez se haya solucionado el conflicto, conducirnos a una **segunda fase**, de paz recuperada, que atraviesa un **tiempo de reparación** en los cuatro niveles de la biología.

TERCERA PARTE

Los principios generales

El síntoma se considera, en sí mismo, un aprendizaje. Aparece a partir de una respuesta fisiológica o de una toma de posición fisiológica oportuna y pertinente ante una situación de agresión o un choc emocional para, a continuación, reproducirse en ausencia y en la distancia del estímulo original, exactamente del mismo modo que lo hace un tic doloroso. Por lo tanto, al principio, el síntoma fue una respuesta útil...

DR. J. A. MALAREWICZ

1. El choc

L o que aquí nosotros denominamos choc es la piedra angular que nos permite entender cómo funcionan las enfermedades. En determinadas circunstancias que ahora detallaremos, el conflicto, de origen exterior (ejemplo: me roban el coche y, a continuación, me insultan), se convierte en conflicto interior. Es la autohipnosis (cf. el texto del Dr. Malarewicz citado anteriormente); incluso cuando el problema está solucionado, hemos encontrado el coche, revivimos la experiencia consciente o inconscientemente de manera clara y realista u oculta, simbólica y metafórica a través de pesadillas o pensamientos obsesivos.

Es una noción que, en el tratamiento terapéutico, siempre hay que tener presente.

Nuestras vidas cotidianas están llenas de conflictos, más o menos importantes, más o menos dramáticos. Esta abundancia es comparable a la siembra de estrellas en el cielo nocturno, donde forman constelaciones. Es muy evidente que cualquier choc, cualquier conflicto, no tiene por qué provocar una enfermedad. Para que esto suceda, el choc debe cumplir unas condiciones, es decir, responder a los cuatro criterios principales (*véase* pág. 43):

Aspecto dramático

Es un torbellino que sacude al ser vivo, lo estresa. El conflicto se trabaja en el interior, a veces de manera inconsciente, aunque lo hace sin pausa. Estalla antes de lo que uno puede pensar. No es algo psíquico: el corazón de la leona se acelera cuando ve cómo los cachorros caen por el precipicio. A partir de ese instante, uno no está en paz consigo mismo. Existe un conflicto entre el interior y el exterior, entre nuestros deseos, nuestras necesidades, y lo que es real y posible.

Aspecto inesperado

El choc no es algo que se vea venir. Es una desagradable sorpresa para la que nadie está preparado. Es como un pinchazo que nos paraliza. Es subjetivo e incontrolable. Puede ser una sencilla palabra, que resuena en nuestro interior como un terrible trueno en el cielo azul. Sucede en un instante: no enfermamos lentamente; hay un antes y un después. Uno puede esperar la jubilación pero, cuando llega, se encuentra en casa, solo, mientras los compañeros siguen levantándose por la mañana para ir a trabajar... Y esto es lo que no se esperaba, dejar de tener valor, dejar de darle un sentido a la vida. Uno esperaba esta situación, aunque no vivirla de esa manera.

A solas

Un silencio emocional planea sobre el conflicto. Por una razón o por otra, el sentimiento unido al choc se experimenta a solas. Los demás conocen la situación, a veces, aunque no siempre saben cómo nos sentimos. Saben que nos han despedido, que nuestro marido o nuestra mujer ha pedido el divorcio, que nos han robado... Conocen el hecho, pero no conocen los sentimientos. Nadie nos ha entendido, nadie se ha unido a nosotros. Es el sentimiento, y no el hecho en sí mismo, lo que se vive a solas.

En terapia, mientras uno habla del hecho sin hablar de los sentimientos, no se cura. A nivel terapéutico, hay una pregunta muy importante: ¿por qué el choc se vive a solas? ¿Por qué no hemos podido hablar de ello? Hay personas que tienden a no expresar sus problemas por educación, porque quieren solucionarlos solos, para no molestar a los demás o porque tienen la creencia que no deben exteriorizar sus problemas. Todo esto son creencias que ponen muchas dificultades y que aíslan a la persona en cuestión.

Es una ley fundamental: lo que no se expresa, se imprime.

En su libro *La salud emocional: conversaciones con el Dalai Lama sobre la salud, las emociones y la mente*, un título evocador en sí mismo, Daniel Goleman se entrevista con el Dalai Lama. Insiste en la importancia del aislamiento como factor agravante de las tasas de morbosidad y mortalidad.

La importancia de la palabra es notable. Somos el conjunto de nuestras palabras, y cualquier enfermedad es una palabra, no dicha por la boca, sino por el cuerpo. **La palabra que es un poco virtual, tiene un poder real.** Es una válvula siempre accesible, un medicamento fácil y disponible que, sin embargo, utilizamos poco debido a nuestras creencias y a nuestra educación.

La palabra y el hecho de verbalizar siempre tranquiliza. Expresar en forma de palabras, gestos y actos simbólicos permite deshacerse de una tensión, de una presión. Y, a veces, ya basta, porque el ser humano es un ser de comunicación. Como dice Françoise Dolto, «**todo es lenguaje**».

Sin solución satisfactoria y duradera

Tanto si el conflicto es dramático como de poca importancia, hay que solucionarlo. Este drama, inesperado, provoca un estado de inestabilidad en el ser vivo. La naturaleza busca, continuamente, una solución de equilibrio.

Porque a cada paso estamos en desequilibrio que es, además, la condición para avanzar. ¡El estado de salud no existe! Es una figura teórica, muy cómodamente instalada en las universidades y los libros. Pero, en realidad, la persona que está leyendo estas páginas está respirando... en unos pocos segundos, volverá a inspirar, y lo hace porque está en anoxia o en hipoxia. Estamos en constante peligro de morir deshidratados, desnutridos, permanentemente enfermos y, permanentemente, recuperando la salud.

El estado de salud no es precisamente un estado, sino un dinamismo, un movimiento de adaptación permanente a lo real. Tenemos necesidades fundamentales que son estables, que no cambian, y existe una realidad exterior que cambia continuamente. Por lo tanto, si no encontramos una solución consciente y voluntaria, la biología se encarga de encontrar una solución inconsciente e involuntaria.

La masa conflictiva

Estos cuatro criterios nos orientan hacia la noción de masa de estrés. Si colocamos en un gráfico la intensidad del conflicto en la ordenada y la duración en la abscisa, nos dará una idea de la masa de estrés. Cuánto mayor sea, más importantes serán los síntomas.

I: intensidad del drama
I: aislamiento
I: súbito, inesperado
T: tiempo, duración sin solución
T: terreno
E: *émaillage*

$$\frac{(I + I + I) \times (T + T)}{E} = Masa$$

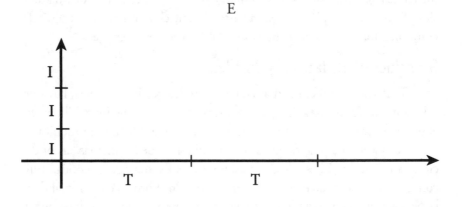

Fig. 13: La masa conflictiva.

En su obra *Psychobiologie de la guérison*, Ernest Rossi reflexiona sobre los factores que intervienen en el hecho de que un acontecimiento mal vivido deje un sentimiento dramático.

Para una persona, quedarse sin trabajo forma parte de las experiencias inevitables de la existencia mientras que, para otra, es un drama del que ella misma hará una enfermedad.

Pueden intervenir varios factores que nos permitirán entender las diferentes reacciones ante un mismo hecho.

• Antes mismo de que se produzca el choc, algunas personas tienen, fundamentalmente, una incapacidad adquirida de reacción, ya sea frente a un sentimiento como a una prohibición, un miedo o un juicio. Estas personas presentan:

– una imposibilidad ante cualquier adaptación compleja,
– una inhibición de la reacción,
– una forma de renuncia, en el fondo,
– o de capitulación.

• También hay que mencionar las dobles presiones, esas comunicaciones paradójicas que pueden invadir al niño pequeño, o incluso al bebé en la etapa preverbal. El niño se encuentra ante una confusión de interpretación porque, haga lo que haga, se siente culpable. Todo esto crea disociaciones e inhibiciones en la acción.

• Y, por último, los antiguos problemas sin solucionar, sin expresar, pueden volver a aparecer gracias a la hormona del estrés, el cortisol. En este aspecto, la aportación de Rossi es muy innovadora.

La noción de raíl

En el momento del choc, el drama no se graba solo, en estado puro, en la biología: las circunstancias que lo acompañan, determinados elementos del contexto en el que se ha experimentado, también pueden ser grabados en él y estarán presentes en la memoria celular.

Una chica sufre una agresión a las nueve, de la noche de un martes de marzo por parte de un hombre calvo con gafas. A partir de ese día, de ese hecho, esta chica puede reactivar los sentimientos de angustia el mes de marzo de cada año o bien cada vez que vea a un hombre calvo con gafas. Si aquel día había polen en el aire, cada vez que vuelva a estar en contacto con el polen de aquel lugar en el mes de marzo… La biología asume cada uno de estos elementos, que pueden evocar el hecho en cuestión a pesar de la distancia.

Este ejemplo ficticio es una ilustración de la noción de raíl. Cada elemento del contexto puede desarrollar su propia **autonomía**. De manera totalmente ilógica, cuando esta chica vea a un hombre calvo con gafas sentirá angustia y opresión, tendrá dificultades para respirar o bien, cada vez que respire ese polen, estornudará para alejar ese olor tan desagradable para ella (ya sea real o simbólico): «¡No me gusta ese olor!».

Esta noción de raíl es un principio fundamental de comprensión de algunos síntomas, como las alergias.

Alergias (físico) y fobias (psíquico)

«El cuerpo humano es un saco sumergido en
el mundo que, permanentemente, absorbe las
señales innombrables que le asaltan.»

La palabra alergia es un término genérico que esconde realidades muy diversas. Desde un punto de vista biológico, la alergia es una reacción a un elemento exterior denominado alérgeno y que puede ser realmente cualquier cosa: algo que olemos, comemos, tocamos, vemos o escuchamos.

Puede ser el polvo, el polen… ¡incluso una vaca! La diferencia es que no encontraremos ninguna señal de una vaca en el cuerpo, mientras que sí que podemos encontrar restos de polen. Entonces, alguien podría decir que en un caso se trata de una reacción química y, en el otro, psicológica. Pero, en realidad, es exactamente lo mismo, porque quien decide y produce los síntomas siempre es el inconsciente biológico.

Lo que hay que entender bien es que el alérgeno es, en realidad, el apoyo de un desplazamiento.

Veamos un ejemplo real: una chica joven estaba montando a caballo y entonces, cuando menos se lo esperaba, un señor mayor que también iba a caballo, la acorraló e intentó manosearla. Ella tenía quince años y le resultó insoportable que un señor mayor se comportara de aquella manera. Hizo un desplazamiento inconsciente de lo afectivo, lo emocional, hacia el pelo del caballo. Más adelante, cada vez que entraba en contacto con pelo de caballo, sufría una reacción epidérmica muy violenta. Su cuerpo reaccionaba, porque se volvía a encontrar en contacto con la emoción original, que ella misma había escondido en el inconsciente por lo insoportable que le resultaba.

Desde un punto de vista psicológico, la alergia vendría a ser lo que Freud evidenció con la lógica de la represión de la transferencia: el síntoma como desplazamiento. Es un descubrimiento genial de Freud, aparte de ser un proceso mucho más frecuente de lo que podamos pensar.

Por lo tanto, inconscientemente, grabamos elementos concomitantes al choc emocional. Si uno de esos elementos concomitantes aparece más tarde, corremos el riesgo de que desencadene lo que denominamos alergia. **El síntoma es la señal del desplazamiento de una experiencia emocional (que se ha convertido en inconsciente) hacia un elemento periférico (antes neutro) de las circunstancias del drama.**

Por eso he mencionado las vacas. Nunca nadie dice que una vaca sea alérgena, porque es demasiado grande, pero sí que se dice que el polvo lo es. Sin embargo, hay personas que han chocado con una vaca o que han visto algo que les ha chocado en un cercado de vacas y cuando las ven o escuchan su nombre, padecen irritaciones y no pueden dejar de rascarse. ¡La única diferencia es que no les encontraremos restos de vaca en la piel ni moléculas antivaca en la sangre!

Un ejemplo. Un chico y una chica estaban sentados en un banco. Ella estaba muy enamorada de él, pero él le dijo: «No nos podremos seguir viendo porque mis padres y yo nos vamos a vivir a otra ciudad». Para ella fue un choc. En ese mismo instante, su inconsciente ejerció un desplazamiento hacia un elemento periférico del contexto. Era la temporada de las gramíneas, así que desarrolló una alergia hacia esas flores, y sufrió una conjuntivitis, traducción inmediata del sentimiento: «Le pierdo de vista»; en su realidad biológica: visual + contacto.

Dicho esto, hay que añadir que algunas alergias provocan afecciones de la piel, otras del sistema otorrinolaringólogo, digestivo, etc. Lo que marca la diferencia es la sensibilidad personal, lo que en PNL denominamos los **predicados**. Es una manera personal de estar en el mundo.

Si pido a varias personas que me describan un momento de gracia, de oración, de meditación, una me dirá: «He contemplado la gloria de Dios con mis propios ojos», otra: «El sabor de Dios es de una dulzura infinita», otra: «Dios me habla, me dice palabras de amor, escucho su voz», otra:

«Acabo de ingerir la santa hostia, que alimenta mi ser», y otra: «Desde que estoy en contacto con Dios, respiro la vida en plenitud y su perfume está presente en mi vida». Cada una tiene una manera de estar en el mundo muy personal: visual, gustativa, auditiva, digestiva, respiratoria…

Recuperando un ejemplo anterior, cuando el chico le dice a su novia que se va a vivir a otra ciudad, ella puede vivirlo en términos visuales («No lo veré más»), auditivos («No puedo creerme lo que acabo de escuchar»), cutáneos («Estoy lejos de él») o, incluso, digestivos («No puedo digerir esta noticia, este cambio»).

Según su actitud en el mundo, expresada a través de los predicados privilegiados de esa persona y ese contexto, la manera de vivir el choc afectará a un órgano más que a otro. Por ejemplo, una alergia será cutánea si se siente separada de él, ocular si lo pierde de vista, olfativa si supone una angustia, etc.

La alergia aparece por un choc inicial, algo inesperado.

Hay que distinguir dos grandes etapas: el momento inmediato y el plazo de adaptación a largo plazo.

La primera reacción, la respuesta inmediata, es una medida de protección. Después viene la memorización a través de las células específicas (las macrófagas), presentes en la sangre. El sistema inmunológico guarda, por así decirlo, la memoria de una sustancia codificada como peligrosa, porque va asociada a una emoción dolorosa. Por eso intenta eliminarla cuando la detecta en el organismo, ya sea uno, dos o diez años después.

Es un sistema de alerta: cada vez que aparece ese tipo de polen, en la memoria se reactiva el recuerdo del sufrimiento («¡Atención, cuando respiro ese polen, hay problemas!»). Sólo es una cuestión de memoria, de codificación de la información emocional. Lo que en PNL denominamos anclaje.*

En realidad, el sistema inmunológico funciona muy bien, a la perfección. Únicamente da una información que hay que descodificar. Esto es lo que hay que entender con las alergias: vuelvo a entrar en contacto con la emoción, incluso en la distancia del hecho que la provocó. «El ser humano no tiene problemas psicológicos, tiene problemas de recuerdos.» (Marc Fréchet), de recuerdos dolorosos inconscientes. La alergia es un ejemplo entre muchos otros.

Ernest Rossi, que fue colaborador de Milton Erickson, constató el siguiente fenómeno: cuando una persona vive emociones penosas (angustia, por ejemplo) y, para ello, toma determinados medicamentos, en su bioquímica se produce una *engrammage* (grabación) de la asociación que se establece entre esas emociones y esas sustancias químicas. Si, unos años después, cuando ya haya terminado el tratamiento, se le administra el mismo medicamento, involuntaria y automáticamente experimentará las mismas emociones. Los recuerdos asociados a esos medicamentos no desaparecieron, sólo estaban desconectados, olvidados. Y reaparecen cuando se vuelve a administrar la misma sustancia. Hay un recuerdo relacionado con la química, un recuerdo molecular, y el sistema inmunológico reacciona ante él. Se adapta a ese recuerdo y señala una información que hay que descodificar.

Ejemplo: una chica estaba en un restaurante con su novio, comiendo cangrejos, cuando empezaron una fuerte discusión y acabaron rompiendo la relación. Unos meses más tarde, volvió a comer cangrejos y sufrió un repentino choc anafiláctico tan fuerte que la tuvieron que llevar al hospital. A partir de aquel momento, ni siquiera podía escuchar la palabra cangrejo. La emoción era demasiado fuerte. Cuando comía cangrejo, revivía con mucha violencia aquella separación, aquella angustia, aquel problema. Y, sin embargo, el chico ya no estaba allí...

En el terreno terapéutico, yo diría que, tomando conciencia del hecho original, uno puede fácilmente curarse de una alergia. Desde mi experiencia como psicoterapeuta, la toma de conciencia del choc original siempre ha sido suficiente. Únicamente hay que ser muy preciso respecto a lo que ha causado el choc, hay que encontrar el hecho concreto y revivirlo de manera consciente, expresando en voz alta lo que se sintió en ese momento. Y, sobre todo, hay que encontrar de manera consciente todos los elementos sensoriales periféricos del drama, todos los pequeños raíles contextuales: hora, lugar, etc. A menudo, la mayor dificultad reside en que lo que causó el problema se ha reprimido, olvidado en el inconsciente. Y lo que hay que volver a encontrar es precisamente eso.

Si la toma de conciencia no fuera suficiente (algo con lo que jamás me he encontrado personalmente), también existen, en psicoterapia, un determinado número de protocolos. Robert Dilts, por ejemplo, propone para la alergia unos ejercicios basados en la visualización, rápidos y eficaces.[5]

5. Dilts, Robert; Hallbom, Tim; Smith, Suzi, *Las Creencias: caminos hacia la salud y el bienestar,* Urano, Barcelona, 1996.

Ejemplo: un chico era alérgico al pelo de gato… pero sólo a los gatos pelirrojos (!!!). Hacía diez años, había tenido un gato pelirrojo, al que adoraba, pero al que mató aplastándolo debajo de una almohada. Para él resultó tan traumático haber hecho algo así, que lo metió en una bolsa de plástico, lo tiró a la basura e hizo una amnesia alrededor de ese capítulo.

Lo recibí unos años después en mi consulta. Su hermana tenía un gato negro y su hermano, uno pelirrojo… y él sólo era alérgico al de su hermano. Empezamos a buscar y encontramos el choc original. Tuvo que recuperar el recuerdo y expresar todos los sentimientos… pero se curó de una manera rápida y fácil.

Para explicar mejor este enfoque, voy a servirme de una metáfora:

Al pasar por delante de la puerta del baño, veo un charco de agua que sale de debajo de la puerta. Se me ocurren varias soluciones: voy a buscar una fregona, lo seco, y repito la acción cada hora. Otra solución, abro la puerta y cierro el grifo. U otra, como es una situación que se repite, pregunto quién deja el grifo abierto. Resulta que lo hace mi hijo. Le enseño a cerrarlo, pero está distraído y se olvida… Y me pregunto por qué está tan distraído. Y resulta que es porque, como trabajo tanto, no me ocupo de él lo suficiente. Cuando me ocupo de él, deja de estar distraído.

Es decir, se trata de remontarse a la causa que lo desencadena todo, en la medida que el paciente esté dispuesto a recorrer ese camino emocional tan exigente. Es un recorrido donde el paciente está activo. En la mayor parte de tratamientos médicos es cierto que el doctor está activo, pero el paciente está pasivo. Es la gran diferencia.

En la actualidad sabemos, por varios estudios realizados por médicos y psicólogos, que para conservar la información, es obligatorio que vaya unida a un significado, una motivación, que puede ser un placer, una obligación, pero siempre ha de ser un factor emotivo.

A los científicos se les ha hecho la siguiente pregunta: «¿Puede una memorización de información organizarse para mensajes que no tienen ningún significado? (entendiendo significado como una carga afectiva, emocional, un interés o una curiosidad)». La conclusión a la que han llegado es que es «innegable que una información pura y fría, desligada de todo valor, sin ningún sentido o significado, elemental y aislada de cualquier contexto, no puede dar lugar a una memorización. Por lo tanto, siempre tiene que haber, en segundo plano, un significado más o menos complejo como apoyo de la memorización».

Durante toda nuestra existencia, vivimos experiencias que hay que memorizar. Para poder hacerlo, es necesario que tengan un significado de suficiente peso. Y lo que le dará ese peso es el hecho de tener una emoción asociada, ya sea agradable o desagradable. Cuánto más fuerte sea la emoción, más profunda e intracelular será la memorización.

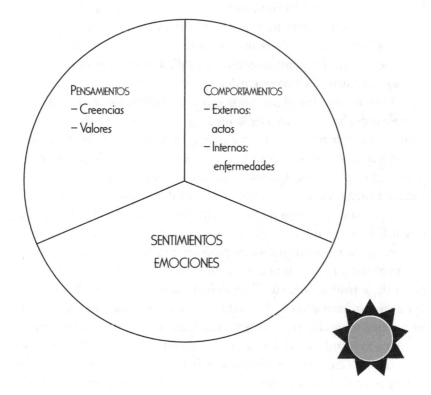

Fig. 14: La «tarta cósmica».

Las alergias, como las fobias, están unidas a este modelo. Sucede un acontecimiento: hay un significado que hace que sea importante memorizarlo, ya sea por la supervivencia o por el placer que provoca. Para eso, vamos a fabricar la emoción. Es esta asociación la que, de alguna manera, abrirá el disco duro, las neuronas. A partir de ese momento, hay una carga emocional, un sentimiento y, de repente, evolución en la biología, dependiendo del sentimiento, en un órgano o en otro.

También puede darse una autonomización del sentimiento: aunque esté en casa, la chica a la que había atacado un hombre calvo con gafas puede sentirse permanentemente insegura, sin necesidad de ningún estímulo externo. Hay un estímulo interno autohipnótico que hace que esté constantemente angustiada. Lejos del choc, lejos del hombre calvo con gafas, hay una autonomía del sentimiento. Esta persona progresa en esa actitud en el mundo, que es sentirse angustiada, sucia, desvalorizada y humillada.

Por lo tanto, después de un choc aparece una emoción negativa, un sentimiento negativo y una creencia que implica ciertos comportamientos, fracasos sentimentales y profesionales, etc.

Ejemplo de fobia plural: un hombre insomne se despierta cada hora y, sobre todo, hacia las cinco de la madrugada. No soporta que le compriman el tórax y tiene una constante necesidad de aire, es decir, de libertad; no soporta las opresiones, es una fobia y, por lo tanto, suele practicar submarinismo y parapente. Cuando anochece o cuando está todo oscuro, sin ninguna fuente de luz y escucha algún ruido, se pone muy nervioso, excepto si tiene una mujer junto a él; entonces se duerme. ¿Cuál es el choc original? Tenemos todos los elementos constitutivos: cuando era un recién nacido, su padre, mejor dicho, su progenitor, quiso asesinarlo delante de un amigo suyo. Era por la noche y su madre estaba en el hospital. Hacia las cinco de la madrugada, cuando volvía de una fiesta, borracho, el padre entra en casa haciendo mucho ruido, coge una almohada y la aprieta violentamente sobre el cuerpo del bebé que duerme: no puede moverse ni gritar. Años más tarde, el adulto padece fobias, miedos, en presencia de todos los raíles: las cinco de la madrugada, la noche, la ausencia de la madre y, por extensión, de una mujer; plena noche con ruidos, presión sobre el tórax, opresiones, no poder gritar ni moverse. Al cabo de un tiempo lo tuvieron que ingresar en el hospital por pleuresía (el sentimiento conflictivo de la pleura es «miedo, ataque contra el tórax»).

La doble entrada biológica

Todos los conflictos son conflictos de conjunción. En cada sentimiento, siempre se da la conjunción de varios sentimientos. Un sentimiento único, en estado puro, no existe. Siempre hay bien un conjunto de sentimientos, bien un conjunto de hechos, con varios sentimientos.

Para establecer una comparación con la naturaleza, el color amarillo en estado puro no existe: lo encontramos mezclado con el verde, que da un amarillo verdoso; o con el blanco, que da un amarillo pálido; o con el rojo, que da un amarillo anaranjado...

Cualquier síntoma siempre es una conjunción de, al menos, dos sentimientos. Si una persona sufre un conflicto de miedo, y lo vive desde lo visual, puede desarrollar problemas de miopía. Si lo vive desde lo respiratorio, puede sufrir una laringitis. Si lo vive desde lo digestivo, vomitará, por ejemplo.

Cada ser humano tiene una manera privilegiada de estar en el mundo, está constantemente creando su mapa del mundo. En PNL se presta especial atención a la manera particular con que cada individuo manifiesta esta relación al mundo y lo que expresa con su lenguaje (los predicativos). Los individuos son visuales, auditivos, olfativos, gustativos o kinestésicos. Desde mi punto de vista, también hay que tener en cuenta la realidad biológica, porque también modela una manera particular de estar en el mundo: digestiva, respiratoria, renal, sexual, ósea...

Por ejemplo, las personas «digestivas» son las que «se comen la vida a bocados o las que no pueden tragar a la vecina de rellano». Si una persona «digestiva» tiene un conflicto de miedo, puede vivirlo en términos digestivos + motores, en cuyo caso tendrá vómitos o diarreas. Si el conflicto es digestivo + deshonra (sentirse sucio), hará un pólipo de colon.

Otras personas viven mucho más en términos de contacto. Son las personas «epidérmicas», personas que, por ejemplo, dicen que tienen «los nervios a flor de piel». Si una persona «epidérmica» vive un conflicto de deshonra, desarrollará una verruga o un melanoma.

Por supuesto, puede haber quien apile y tenga varias sensibilidades biológicas.

A cada síntoma le corresponde una doble, y a veces triple, entrada biológica. Es la conjunción de, al menos, dos sentimientos.

La primera puerta de entrada corresponde al aparato (*véase* pág. 160) en el que la persona recibe el drama. Un conflicto de deshonra, por ejemplo, puede vivirse en el aparato visual, pero también en el sexual o en el digestivo. El miedo puede afectar a los ojos, la laringe o los intestinos. El hecho original puede afectar a un aparato u otro.

La segunda puerta de entrada: una vez que la biología vive el conflicto en un aparato determinado, afectará a un órgano u otro del aparato, dependiendo de si el conflicto se vive en términos musculares, sensoriales, de deshonra, de separación, de vergüenza, de miedo, etc.

Ejemplo: existen varias patologías del ojo (miopía, ceguera, orzuelos, úlcera de la córnea, estrabismo…). En todos esos síntomas visuales hay un primer sentimiento: el hecho original se vive de manera visual. También hay un segundo sentimiento que hace que sea ésta o aquélla la parte del ojo afectada.

— El estrabismo (que afecta a los músculos del ojo) corresponde a un drama vivido de manera visual y motriz al mismo tiempo.

— La úlcera de la córnea: conflicto visual + relacional (contacto, separación).

— La ceguera: conflicto visual + neurológico (hay un proyecto inconsciente de no ver o de no ser visto).

— La miopía: conflicto visual + miedo, aprensión (peligro).

— La neovascularización intraocular: conflicto visual + circulatorio.

Interviene un tercer parámetro, dependiendo de si la persona vive el conflicto como algo demasiado negativo o como una carencia de algo. Si alguien está estructurado sobre lo primero, la solución será borrar, tachar; si, por el contrario, la persona está estructurada sobre lo segundo (el vacío, la separación), la solución será añadir. Cada célula del cuerpo tiene esta doble posibilidad, sentirse bien separada o bien agredida.[6]

Casos clínicos

Una paciente no fabricaba más tejido conjuntivo de la piel porque no quería reaccionar ante la agresión. Se dejaba agredir para no herir a los demás. Por lo tanto, destruyó el órgano que sirve de escudo, la dermis. En este caso, la mujer se borró a sí misma.

Otra mujer, en cambio, cuando se sentía agredida o insultada reforzaba su escudo. Hizo un cáncer de piel, un melanoma. Así hacía más gruesa la piel. Esta mujer estaba estructurada sobre una carencia (de consideración) y su reacción, por tanto, era de producir una masa.

Cualquier drama puede expresarse en distintos niveles: físico, psíquico, conductista, profesional, etc.

6. Elemento que se desarrollará en un próximo libro.

Una persona que vive un conflicto de separación puede expresarlo con:

— un problema epidérmico,
— estando ausente de este mundo, distraída,
— ejerciendo una profesión de contacto,
— teniendo muchos pasatiempos relacionales.

Será una expresión dentro de lo permitido, lo posible dentro del contexto sociofamiliar y en función de la educación, la cultura y las creencias personales.

Los distintos sentimientos biológicos

Cada célula de nuestro cuerpo se cruza en varios caminos, pertenece a varios lugares. Se completan varias lecturas.

1.

Origen embrionario	Sentimiento
Endoblasto	**Arcaico**, vital, supervivencia relacionada con el «pedazo de…»
Lámina interna	**Miedo** a un ataque exterior, una ofensa a la integridad
Lámina interna	**Desvalorización**, «¿para qué?»
Ectoblasto	Sentimiento más **elaborado** y en el terreno de la vida social

Ejemplos: alvéolos de los pulmones (endoblasto) (miedo arcaico a la muerte); bronquios de los pulmones (ectoblasto) (miedo de perder territorio social).

2. Según el aparato, el sentimiento será:

— Digestivo: necesidad de **aceptación** por parte del mundo exterior.
— Respiratorio: necesidad de un espacio de **libertad** y **seguridad**.

— Urinario: necesidad de **referencias**.

— Locomotor (músculos, tendones, huesos): necesidad de **motivación**.

— Órganos sensoriales: necesidad de **seguridad**.

— Cerebral: necesidad de **intención** realista.

— Cardiovascular: necesidad de **propiedad**.

— Sanguíneo: necesidad de **ser**.

— Nervioso: necesidad de un **proyecto** a **corto** plazo.

— Hormonal: necesidad de un **proyecto** a **medio** plazo.

— Inmunológico: necesidad de un **proyecto** a **largo** plazo.

— Sexual (gónadas y genética): necesidad de un **proyecto** a **muy largo** plazo.

Ejemplos de mezclas de estas dos primeras lecturas:

— Mucosa de la vejiga: ectoblasto + renal = huella de las referencias sociales.

— Conductos colectores de los riñones: endoblasto + renal = ausencia de referencias (arcaico).

— Alvéolos: endoblasto + respiratorio = atrapar el pedazo vital de libertad.

— Bronquios: ectoblasto + respiratorio = defensa del espacio de libertad propio frente a la sociedad.

— 1/3 superior del esófago: ectoblasto + digestivo = rechazo al mundo social exterior.

— 1/3 inferior del esófago: endoblasto + digestivo = necesidad vital del mundo exterior.

3. Distintos tipos de manifestación

1. Tumor, masa, cálculo, excrecencia (+)

2. Vacío, úlcera (−)

3. Bloqueo

4. Infección

5. Inflamación

6. Problemas de comportamiento

1. Un más (+) sigue a un menos (–); la masa va a continuación de la ausencia de algo. Ejemplo: no tengo comida, empiezo a fabricar más células hepáticas. Pero si tengo un (+) (cálculo) en las vías biliares, es por el miedo anterior a la ausencia de (+).
2. Un menos (–) sigue a un más (+); el vacío sigue al exceso. Ejemplo: tengo un exceso de cólera, vacío las vías biliares.
3. El bloqueo es el resultado de una elección ilusoria entre salir perdiendo (seguir en un trabajo infame) o... seguir perdiendo (caer en la miseria económica).
4. La infección duradera esconde una evolución no aceptada.
5. La inflamación duradera esconde una solución superficial o inconsciente.
6. El problema de comportamiento manifiesta un rechazo a aceptar la realidad.

CONFLICTO ARCAICO ENDODÉRMICO / TRONCO CEREBRAL

No poder mirar a los ojos, ni tener derecho a demostrar las emociones	Glándulas lagrimales
No sentirse a la altura	Adenohipófisis
Hay que vivir deprisa, deprisa	Tiroides/Paratiroides
No poder atrapar el pedazo de comida, de información	Oído mediano
No poder atrapar el pedazo	Trompa de Eustaquio
No estar seguro de comerse el pedazo	Faringe
Tontería que adquiere dimensiones	Vegetaciones
No estar seguro de atrapar el pedazo	Amígdalas, paladar
No poder incorporar el pedazo	Glándulas salivales
No poder responder	Debajo de la mucosa bucal
No poder comerse el pedazo	1/3 inferior del esófago
No tener lo que se quiere y no poder digerir lo que se tiene	Duodeno, estómago
Miedo de no tener medio de subsistencia	Hígado
Vacío vital relacionado con la familia (herencia...)	Páncreas
Conflicto moralmente desagradable	Epiplon mayor
Contrariedad indigesta y miedo al vacío	Intestino delgado

No poder eliminar un asunto desagradable	Apéndice, intestino ciego
Conflicto «asqueroso», podrido	Colon
«Suciedad» difícil de eliminar	Sigmoideo, recto
Miedo a morir, a la falta de aire	Alvéolos pulmonares
Conflicto sexual ajeno o relacionado con los hijos, la familia, etc.	Próstata / mucosa del útero
Deshonra sexual	Trompas de Falopio
Grave conflicto de pérdida	Gónadas (ovarios, testículos)
Destrucción, pérdida de referencias	Riñones (colectores)
«Suciedad» en el territorio	Vejiga

CONFLICTO MESODÉRMICO INTERNO / CEREBELO

Conflicto de deshonra, ataque a la integridad	Dermis
Miedo por el tórax	Pleura
Miedo por el corazón	Pericardio
Miedo por el abdomen	Peritoneo
Miedo por los testículos	Escroto
Querer ejercer de madre con un adulto	Glándula mamaria derecha
Conflicto del nido, relación madre/hijo	Glándula mamaria izquierda
Miedo por sus ojos y lo que contienen	Párpados
Miedo por las orejas y lo que contienen	Trompa de Eustaquio
Miedo por la cabeza	Meninges

CONFLICTO MESODÉRMICO EXTERNO / MÉDULA CEREBRAL

Todos estos conflictos son desvalorizaciones: el órgano no cumple su función, hasta que desaparece (en primavera, guardo los esquís). Se trata del conflicto de una desvalorización relacionada con una función X, más o menos intensa (médula cerebral, sangre, grasa, tejido conjuntivo).

Gran conflicto de desvalorización entre lazos de sangre (¿para qué vivir?)	Sangre (glóbulos rojos)

Ineptitud en el combate / miedo de la sangre	Bazo, plaquetas
Grave conflicto de desvalorización	Huesos
Desvalorización intelectual	Cráneo
Desvalorización relacionada con la palabra	Mandíbula
Incapacidad de morder	Dentina
Desvalorización central de la personalidad	Raquis
Ejemplo: L5 = conflicto sexual; L4 = conflicto familiar	Vértebras
Sentirse mal padre / mala madre	Hombro izquierdo[7]
Sentirse mal cónyuge, trabajador, estudiante…	Hombro derecho
Desvalorización afectiva	Costado
Desvalorización estética	Esternón
Incapacidad para acoger, recibir	Pelvis
Obligación de ceder	Cuello del fémur
Desvalorización deportiva	Pierna
Desvalorización deportiva o indecisión	Rodilla, tobillo
Desvalorización relacionada con el movimiento	Articulaciones
Ligera desvalorización relacionada con el esfuerzo muscular futuro: «Nunca lo conseguiré»	Tendón / ligamento
Incapacidad de hacer esfuerzo (según el músculo afectado)	Músculo estriado
Incapacidad de retener o evacuar (según el músculo afectado)	Músculo liso
Desvalorización por no poder tener hijos	Ejemplo: músculo uterino
Ligera desvalorización + angustia (relativas a esta parte del cuerpo)	Ganglio linfático
Ligera desvalorización + necesidad de proteger esa zona del cuerpo	Vasos linfáticos

7. Estas indicaciones referentes a los hombros son aplicadas a personas diestras. Para los zurdos es al revés.

Cargar con un peso, obligación de eliminar los problemas: «no puedo volver a casa»	Venas
Desvalorización estética / protección	Grasa / hipodermis
Muy ligera desvalorización	Tejido conjuntivo
Ineficacia del corazón	Pared del corazón
Dirección equivocada	Corticosuprarrenal
Conflicto relativo a un líquido	Parénquima del riñón
Golpe bajo, culpabilidad, pérdida	Ovarios / testículos

CONFLICTO ECTODÉRMICO / EL CÓRTEX

Lado izquierdo del córtex (femenino)

Impotencia cuando hay que actuar	Tiroides
Miedo cerval	Laringe
Frustración profunda	Venas coronarias
Frustración sexual involuntaria	Cuello uterino
Separación física	Vagina
Dejar de lado	Recto
Imposibilidad de organizar el territorio	Vejiga

Lado derecho del córtex (masculino)

Miedo frontal a la enfermedad	Ganglios nobles[8]
Miedo en el territorio	Bronquios
Pérdida de territorio	Arterias coronarias / aorta
Pérdida de territorio sexual	Vesícula seminal
Contrariedad en el territorio	Estómago/ duodeno / esófago
Cólera, injusticia, rencor, rabia	Vías biliares
Injusticia familiar	Vías pancreáticas
Delimitación del territorio	Vejiga / pelvis del riñón / cálices / uréteres

8. Ganglios del cuello y el mediastino.

Miedo por detrás / no soportar ver	Retina
No soportar oír	Oído interno
Conflicto de hediondez	Mucosa nasal
La vida ya no tiene sabor	Lengua
Conflicto de separación	Piel (epidermis)
Separación de un ser con quien se ha ejercido de madre	Conductos del seno
Querer estar separado, contacto impuesto	Tejido de los nervios
Movimiento contrariado	Placa motriz (parálisis)
No poder expresarse	Zona de Broca
Miedo + resistencia	Diabetes
Miedo + repugnancia	Hipoglucemia
Mal juzgado, destrozado	Tálamo
Mi palabra no importa	Encías
Agresividad prohibida	Esmalte dental
No poder almacenar	Conductos de las glándulas salivales
Querer ser visto sin poder hacerlo	Conductos de las glándulas lagrimales
El mensaje no ha llegado	Hipofaringe
Conflictos de memoria	Alergias
Recuperación de un órgano, etapa de aprendizaje	Enfermedades infecciosas
Querer otro espacio del que nos han impuesto	Asma
Asociación de, al menos, dos conflictos (separación, delimitación de territorio)	Enuresis
Asociación de, al menos, dos conflictos importantes	Problemas de conducta

El conflicto del miedo

1. Miedo + conflicto de…

El miedo origina biologizaciones orgánicas, somatizaciones muy diferentes dependiendo de los matices de la coloración conflictiva. En términos de sentimientos, el miedo puede afectar a numerosos órganos distintos. Además, cualquier conflicto puede ser un conflicto de miedo más otro sentimiento.

Un problema óseo, por ejemplo, puede tener su origen en un conflicto de miedo a no ser valorado. Un problema de piel puede ser consecuencia del miedo a que nos separen de un ser querido.

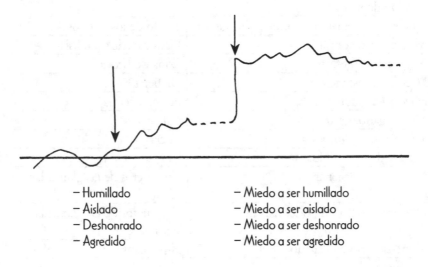

- Humillado
- Aislado
- Deshonrado
- Agredido

- Miedo a ser humillado
- Miedo a ser aislado
- Miedo a ser deshonrado
- Miedo a ser agredido

Fig. 15: Carencia y miedo de carecer.

El miedo acentúa la intensidad del sentimiento. Por ejemplo, una persona desvalorizada puede sufrir una descalcificación ósea y otra persona que tenga miedo a que no la valoren y la humillen puede sufrir una necrosis cancerígena de los huesos. El miedo a que nos desvaloricen, o a no tener comida, o a cualquier otra cosa, provoca exactamente los mismos conflictos que si realmente nos desvalorizaran o no tuviéramos comida.

2. Miedo real o imaginario

Con el miedo, nos encontramos en el terreno de lo imaginario, aunque su función principal y fundamental (¿funda mental?) es devolvernos a la realidad.

A un hombre le reducen el sueldo mensual y pasa de cobrar quince mil francos a cobrar doce mil. Este hombre empieza a experimentar miedo a morirse de hambre, y este conflicto provoca la aparición de nódulos en el estómago.

Si un día nos encontramos frente a una fiera, o incluso a un perro enrabiado, es cierto que la situación encierra un peligro real. Sin embargo, incluso en una escena así, el miedo nos sitúa en una especie de imaginario realista, muy probable, en el que vemos que el animal nos devora. Pero esto es sólo el imaginario: en ese momento, la fiera no nos está atacando. El miedo nos permite anticipar un problema, en este caso un problema muy probable. No obstante, a menudo solemos anticiparnos a problemas totalmente improbables, falsos, como creer que vamos a morir de hambre por pasar de quince mil a doce mil francos al mes. En un caso así, la imaginación se convierte en una herramienta delirante.

Tanto en un caso como en el otro, la biología no distingue entre lo real y lo imaginario. El miedo en un ejemplo-tipo. Estamos en el terreno imaginario, pero no lo sabemos, y tomamos el objeto que provoca el miedo como si fuera real.

3. Terapia

Durante las sesiones terapéuticas, suelo pedirles a los pacientes que se expongan realmente a sus miedos, a sus fobias, y en un 99 % de casos, se dan cuenta de que el miedo era ilusorio, muy por debajo de lo que se esperaban. Casi siempre, el hecho de no arriesgarse a la confrontación alimenta el miedo imaginario y la problemática. Cuando personas adultas acuden a terapia y recuerdan un acontecimiento de su infancia ante el cual no se atrevieron a expresar sus emociones, les propongo que liberen esas emociones en un ambiente infantil (todos sentados en el suelo formando un círculo, un escondite especial o cualquier otra representación de un espacio simbólico). En este espacio, pueden ponerse en la piel del niño de aquella época frente al aterrador padre, y se dan cuenta, por ejemplo, de que si el padre hubiera sabido cómo se sentía el niño, habría actuado de otra manera.

4. Impotencia

El miedo no sólo nos coloca en una realidad virtual sino que, además, nos impide reaccionar porque no podemos influir sobre los acontecimientos imaginarios ni tenemos solución para problemas que no existen. Las personas angustiadas anticipan el futuro en negativo, pero no pueden reaccionar porque están en el terreno de lo imaginario. Ahora bien, a menudo, cuando estas personas tienen un problema real, saben muy bien cómo reaccionar, enfrentarse a él y buscar la mejor solución.

RELACIÓN ÓRGANOS / CONFLICTOS DE MIEDO
DEPENDIENDO DE LOS MATICES DEL SENTIMIENTO

Pulmones (alvéolos)	Miedo arcaico a la muerte (el peligro está en mí)
Ganglios nobles	Miedo frontal, intelectual, miedo a la enfermedad (el peligro está frente a mí)
Músculos, parálisis	Miedo de ser prisionero, de no poder escapar, de estar acorralado
Dermis (piel seca y fría, herpes)	Miedo de ser abandonado, aislado
Disminución de la vista	Miedo en la nuca, amenaza, preocupación (el miedo está detrás de mí)
Disminución de la audición	Miedo de escuchar
Laringe	Miedo cerval, respiración entrecortada; miedo de ahogarse (el miedo está delante y contra mí)
Pleura	Miedo por mi tórax (el miedo está encima de mí)
Recto	Miedo de ser abandonado en el territorio
Bronquios	Miedo en el territorio
Tiroides (nódulos fríos)	Impotencia ante un peligro
Hígado (nódulos)	Miedo de inanición
Pericardio	Miedo por mi corazón (el peligro está encima de mí)

Conjunción de conflictos

1. Tomemos el ejemplo de una persona que vive con un miedo, una preocupación. Esta persona tiene problemas de vista. Una semana después, sufre un conflicto motor y desarrolla un problema en la movilidad. Le diagnostican una sola enfermedad: esclerosis en placas cuando, en realidad, hay dos conflictos. **Una sola enfermedad** puede ser consecuencia de dos acontecimientos independientes. En estos casos, se suele hablar de un síndrome, es decir, un conjunto de **síntomas**.

2. Una persona se siente perdida en su existencia, y no sabe qué dirección tomar. Descodifica las glándulas corticosuprarrenales, que ralentizan la fabricación de cortisol. Cada vez está más cansada. Dos semanas después, esta persona se ve obligada a mudarse, algo que vive como una pérdida sin igual: descodifica los riñones. Se sentirá agotada. Tenemos **un solo síntoma**, el agotamiento, con **dos causas**, dos chocs. En este caso, tenemos una conjunción de conflictos, y se tendrán que solucionar todos.

3. En los casos de cáncer, se habla de **metástasis**. Pero hay que entender que, en el origen de cada tumor cancerígeno, hay conflictos distintos. Cuando alguien tiene un cáncer de colon, las estadísticas nos dicen que hay un porcentaje X de posibilidades que haga una metástasis en el cerebro, un porcentaje X de que la metástasis aparezca en el hígado o en los huesos… Sólo son estadísticas, probabilidades. Lo fundamental es entender qué provoca que la metástasis, si aparece, en unas personas lo haga en el hígado, en otras en los huesos, mientras que en otras personas el proceso será a la inversa. La búsqueda de los dramas pasados permitirá entender por qué un órgano se ve afectado «de rebote» y no otro.

4. El cuerpo es una unidad. Cuando una parte del cuerpo mejora, soluciona su conflicto, necesita del resto del cuerpo. Pero si el órgano que produce los materiales que contribuyen a la reparación está en conflicto, el primer conflicto no se solucionará. Y de ahí la cronicidad de determinados síntomas, mientras que el primer conflicto se soluciona.

En esta conjunción de conflictos, cuando una persona sufre de reuma desde hace mucho tiempo, aunque sea un síntoma de reparación, puede convertirse en crónico si esa persona vive, además, otro conflicto, en este caso activo, como el de los colectores renales o las glándulas suprarrenales (los colectores renales en conflicto activo mantienen el agua dentro del cuerpo; las glándulas suprarrenales bloquean el cortisol, que es un antiinflamatorio). Así que, si uno de estos dos conflictos está activo, los otros procedimientos inflamatorios, de curación, de eliminación, no podrán producir-se a fondo.

El impacto de las creencias

> «Cuanto más dramáticamente se viven las circunstancias, menos capacidad de analizarlas tiene el niño. Sin embargo, está presiona-do por la necesidad de dar un significado a lo que le pasa, como si esa atribución de sentido fuera mejor que la «nada» caótica que está viviendo.»
>
> JOSIANE DE ST. PAUL

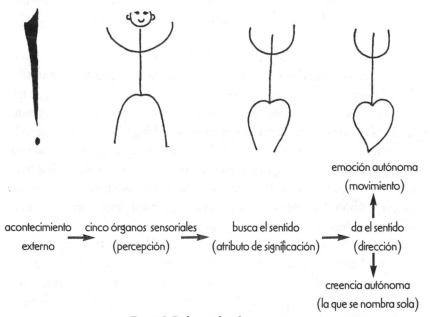

Fig. 16: Del sentido y las creencias.

La creencia se instala en nosotros a partir de un acontecimiento de referencia que, a veces, es un choc.

Durante la infancia, el ser humano busca la regla del Yo (juego). Una necesidad vital le empuja a encontrarle un sentido a todo lo que vive. Al parecer, la naturaleza tiene horror al vacío y el niño tiene horror al vacío de sentido. Cuando sucede un acontecimiento, el ser humano le atribuye un sentido, sin duda arbitrario, pero que quizás es el único que le puede dar en ese momento.

A partir de una o varias experiencias, el niño empieza a generalizar. Es un aprendizaje que permite adaptarse para sobrevivir. Si es muy fuerte, o muy traumática, una única experiencia puede valer para instaurar una creencia. Para algunos temperamentos psicológicos, basta con un acontecimiento, sobre todo si, al remontar a la infancia, se vivió con alguna persona significativa (padre, madre, maestro, etc.).

De este modo, las creencias representan una adaptación al medio y esto nos permite estar relacionados con él pero, al mismo tiempo, nos aísla. Ya no vemos el medio, sino nuestras creencias. Son filtros que tenemos entre el mundo y nuestra comprensión de él. Percibimos el mundo a través de los criterios que queremos satisfacer, a través de las previsiones (en el sentido de presuposiciones) que deforman la realidad y modelan la percepción, selectiva, que tenemos de él.

Cuando el ser humano vive una serie de acontecimientos agradables, el inconsciente busca los puntos en común de todos ellos. Se construye a partir de ahí y siempre buscará ese elemento común. Si durante la infancia, siempre recibía elogios y el cariño de los que le rodeaban cuando conseguía algo, siempre intentará conseguir algo bueno en la vida. ($\rightarrow$ +)

Con los acontecimientos desagradables, el proceso es el mismo. Es posible que cada vez que demostrara sus emociones, sus padres le criticaran o se rieran de él. A partir de esas actitudes, intentará alejarse de eso: evitará hablar de él y jamás demostrará sus emociones. (− $\rightarrow$)

Una única experiencia, muy fuerte, puede bastar para fomentar una creencia, sobre todo en el caso de los más jóvenes en pleno aprendizaje.

Cuando regresa de un campamento de verano, un niño pequeño descubre que su madre ha dado a luz. De repente, él es menos importante. Esta experiencia crea en él un sentimiento de desvalorización y la creencia de que irse de casa es malo porque, si lo hace, lo pueden reemplazar.

En el terreno psicológico, las creencias nos sostienen y nos dirigen. Tienen una estructura y un contenido. Si bien el contenido puede variar hasta el infinito, la estructura es siempre la misma: consiste en una unión arbitraria entre dos objetos, concretos o abstractos. Esta estructura puede adquirir dos formas: la igualdad o la implicación. (A = B o A $\rightarrow$ B)

Por ejemplo, alguien puede decir (1.ª estructura): «Quererse es mirar en la misma dirección...». Y está convencido de sus palabras. Es una creencia, en la que enlaza el hecho de querer y el de mirar en la misma dirección. Sin embargo, hay otras personas que creen que «quererse es mirarse a los ojos...».

Muchas personas establecen un vínculo entre su identidad y un valor: «Soy nulo, no valgo nada». Enlazan su ser, su identidad y la nulidad: yo = nulo. Una creencia extremadamente frecuente es: «Soy víctima de mi destino, víctima de los demás».

Existe otro tipo de vínculo (2.ª estructura): esto implica aquello. «Cuando se quiere, se da todo.» ¡Pero cuando lo damos todo, no necesariamente tenemos que sentir amor!

Por lo tanto, las creencias son una unión entre dos objetos independientes, y puede ser una unión de igualdad o una unión de implicación.

Tenemos que darnos cuenta de que, al alejarnos de la realidad, las creencias nos condicionan. La creencia opera como un filtro selectivo, a partir de una generalización y crea una distorsión entre lo real y nosotros, apoyándose en el hecho de que cada ser humano está obligado a seleccionar la información relativa a todo lo que sucede a su alrededor en función de sus órganos sensoriales, su cultura, su historia, etc. Selecciona aquellas cosas que le pueden provocar placer o sufrimiento en función de las creencias. Éstas inducen a las emociones, agradables o desagradables y, éstas, a su vez, inducen a los comportamientos. Las creencias también pueden inducir a los comportamientos, que inducirán a las emociones.

Somos permanentemente esclavos de las creencias inconscientes, porque no reflexionamos casi nunca, de manera consciente, sobre ellas. Para nosotros, son truismos, evidencias. Son tan evidentes que no las cuestionamos. Preferimos validar las creencias que cuestionarlas.

Dicho esto, hay que precisar que, por supuesto, también hay creencias abiertas, generativas y creencias limitadoras.

Aunque suelen ser obstáculos terribles y fuente de numerosos tormentos, estamos terriblemente unidos a nuestras creencias. Para nosotros, son una manera de controlar las cosas, de organizar el mundo exterior, de racionalizar. Incluso nos permiten controlar la angustia vital.

Las creencias están relacionadas con el sentido, el sentido de la vida, de los acontecimientos. Ante un acto insensato de los grupos políticos, una catástrofe natural, una enfermedad grave... si tenemos una creencia, como por ejemplo que tal persona está enferma porque ha pecado, como el recién nacido ciego del Evangelio («¿quién pecó, él o sus padres, para que haya nacido ciego?» JUAN, 9), o que es una víctima propiciatoria, que su sufrimiento servirá para el grupo, esta creencia apacigua el sentimiento negativo. Un día, recibí a una paciente que había perdido a su hijo, de veinte años, en un accidente. Me decía: «Si supiera por qué, me sentiría mejor; si pudiera darle un sentido a su muerte…». Ese sentido haría que esta mujer no tuviera que enfrentare a la angustia, al vacío, al absurdo.

También estamos unidos a las creencias porque, en un momento dado, en nuestra infancia, nos ayudaron y levantamos muchas cosas sobre ellas. Cuestionar las creencias sería a cuestionar todo un pilar de nuestra existencia, el pilar sobre el que hemos vivido… bueno, sobrevivido.

Las creencias existen para construirnos pero, cuando duran demasiado, pueden destruirnos. Jesucristo se preguntó: «¿El sábado se hizo para el hombre y no el hombre para el sábado?». ¿El hombre está hecho para el código jurídico o el código está hecho para el hombre?, etc. Las creencias, ¿son nuestras dueñas o nuestras sirvientas? Al principio, son sirvientas, pero después se convierten en dueñas. En nombre de una creencia se puede llegar a límites extremos, la locura, la patología, el crimen.

Por norma general, el hecho de tomar conciencia de una creencia no basta para deshacerse de ella o relativizarla. Es cierto que, a veces, cuando uno deja en evidencia una creencia, las personas la desprograman inmediatamente y se echan a reír, porque se había creado en la infancia, como consecuencia de una experiencia, y la persona ha ido evolucionando. Podríamos decir que la creencia se había hecho autónoma, había perdido toda lógica y condicionaba a la persona. Y cuando ésta es consciente de ello, a veces se echa a reír y termina con todo, porque ha recorrido un camino y se da cuenta de que esta creencia ha quedado obsoleta y ridícula.

Sin embargo, otras personas siguen aferradas a sus creencias porque no tienen otras. Uno no actúa sobre una creencia si no tiene otra a cambio que le satisfaga más. Se trata de ampliar las opciones, de no quedarse prisionero de una creencia que puede limitarnos tanto.

Durante la terapia, intentaremos identificar la creencia, le pediremos a la persona en cuestión si quiere conservarla y encontraremos una creencia que satisfaga la intención positiva de la primera. Al final, podremos desestabilizar la creencia limitadora, tomando conciencia que no es ninguna ley, que hay otros ejemplos, que hay personas que piensan de otra manera y se llevan bien, o incluso haciendo balance de las ventajas y los inconvenientes de conservar esta creencia tal cual.

El sobreestrés

Cuando nos enfrentamos a un gran choc, que nos estresa hasta límites insospechados, la biología empieza a buscar el acontecimiento más estresante de nuestro pasado, de nuestra memoria, y de ahí extraerá inmediatamente la solución de supervivencia. Es como si el cerebro fuera un archivador: los archivos de los que nos servimos más a menudo son los más gruesos y están delante de todo. Asimismo, cuando aparece un acontecimiento brusco y estresante, es como si una mano buscara por el archivador, muy deprisa, el dossier más voluminoso, el más importante, el que sobresale, aunque no se adapte al acontecimiento actual. En ese momento, y en esas circunstancias, eso no sirve de nada, pero es un recordatorio de una antigua solución de supervivencia.

Para ilustrar este fenómeno, voy a explicar la historia verídica de un enfermero que trabajaba en un hospital en turno de noche. Durante su servicio, uno de los enfermos murió. Metió el cuerpo en la cámara fría y, al día siguiente por la mañana, cuando volvió a la cámara, se encontró con el cadáver sentado y pidiéndole el desayuno y una manta porque tenía frío. En ese mismo instante, le dio una ictericia.

Unos estudiantes de medicina quisieron gastarle una broma a una de sus compañeras. Metieron en su cama una pierna que habían amputado de un cadáver, y escondieron un *walkie-talkie* en su habitación para oír el grito cuando se metiera en la cama. Esperaron y esperaron, pero no oyeron nada. Al día siguiente por la mañana, cuando esta chica se presentó en la universidad, tenía todo el pelo blanco.

En un caso de sobreestrés, los dos acontecimientos (el antiguo y el actual) no están unidos por una creencia idéntica o una emoción similar, sino únicamente por el excesivo nivel de estrés. Cada uno tiene un recuerdo relacionado con ese estado. El estrés, al liberar adrenalina y cortisol, conecta la memoria de un recuerdo durante el cual la persona se encontraba en esa misma impregnación hormonal. Entonces, provoca la misma acción que antaño, aunque en la actualidad el choc o el sentimiento no tengan nada que ver. Hay una reacción inmediata, sin pasar necesariamente por un sentimiento de cólera, desvalorización, pérdida, etc.

Cada ser humano tiene una manera de actuar preferencial. Es como el carro que pasa por el camino y las ruedas siempre siguen el mismo trazado. En terapia, intentaremos conocer ese raíl de nuestra fragilidad, donde solemos ir a parar. Cuanto más tiempo pasamos en él, más inconscientes serán la creencia y el sentimiento. La persona ni siquiera tiene conciencia de estar desvalorizada, encolerizada, etc. Reacciona instintivamente. En terapia, intentaremos hacer consciente lo que se gravó en la memoria en un momento dado, pero que ya no aparece. A veces, chocamos contra mecanismos de defensa muy poderosos, porque en ese momento estamos tratando algo muy doloroso.

La cortina de humo

«Es más fácil aprender lo que no se sabe
que enterarse de lo que se sabe.»
JACQUES SALOMÉ

A partir del choc, la biología entra en estrés, y lo hace para poder **encontrar una solución**. Los ejemplos son múltiples.

1.ª posibilidad

En el ciclo **ultradiano**, el individuo pasa de una fase de estrés (llamada ortosimpaticotonía* o simpacotonía) a una fase de calma (parasimpaticotonía* o vagotonía) cada noventa minutos. La fase de estrés, fase activa, dura unos sesenta minutos y la fase de calma, de recuperación, unos treinta minutos.

2.ª posibilidad

En el ciclo **circadiano**, si el individuo no ha podido arreglar los conflictos durante esos noventa minutos, existe esa gran fase de calma y recuperación que es el sueño, que debe permitirnos recuperarnos de todo el estrés de la jornada. La función, entre otras, de los sueños es clasificar e intentar solucionar los conflictos del día o días precedentes.

3.ª posibilidad

Nuestra biología no se puede permitir permanecer en un estado de estrés duradero. Si no encontramos ninguna solución, va a economizar y, para limitar el estrés, lo **circunscribirá a una única parte** del cuerpo, del cerebro y del psiquismo. No es bueno para el resto del cuerpo que todos los pensamientos giren alrededor de un conflicto, que el cerebro esté «recalentado», que dejemos de dormir y de comer. La solución es hacer **bascular el estrés hacia la biología inconsciente**, psiquismo, cerebro, cuerpo y energía. Si el problema es no haber encontrado solución a un conflicto, esta gestión del estrés pasa al inconsciente con el único objetivo de permitirnos comer, dormir y vivir. Si no, nos moriríamos. Así pues, sólo hay una pequeña parte del psiquismo, del cerebro, del cuerpo y de la energía que sufren este estrés, la ortosimpaticotonía.

En mi opinión, en ese punto está el nacimiento del inconsciente, que es la suma de todos nuestros aprendizajes, incluidos los positivos. En la polaridad negativa, el inconsciente es la suma de todas las situaciones no conseguidas, no solucionadas.

Física y psicológicamente, lo dejamos de lado. Ya no hablamos de la cosa con palabras, ya no la explicamos sino que la imprimimos, porque no hemos encontrado solución o porque no podemos hablar de ello.

En cualquier síntoma hay lo que yo llamo una cortina de humo. Desde el instante en que alguien se presenta con un síntoma, sé que hay una negación, porque era algo demasiado doloroso que no tenía solución.

En terapia, llevamos a la persona donde no quiere, no puede o no sabe ir: hacia su oscuridad, el famoso cuarto oscuro que es el inconsciente.

Es básico que el terapeuta y el cliente sean conscientes de este fenómeno, de esta realidad que, a veces, en psicoanálisis, denominamos fenómenos de resistencia, que son inconscientes, pero que también se explican de manera biológica.

El conocimiento de la función biológica de cada órgano (lo que aquí denominamos descodificación), de cada enfermedad, permite que la persona acceda a ese antecedente que rechaza y que pueda cruzar la cortina de humo. Por ejemplo, ante un problema que afecta a los pulmones, uno estará de golpe, y gracias a la descodificación biológica, sobre la pista de un conflicto de miedo a la muerte. Para los problemas óseos, enseguida sospecharemos de una desvalorización, etc.

Con la descodificación, es más fácil que el paciente descubra los acontecimientos ocultos, las fuentes del estrés:

— una vez se ha verbalizado el sentimiento,

— cuando damos ejemplos de otros pacientes que han tenido el mismo sentimiento,

— explicando metáforas, historias de animales.

El sentimiento, por así decirlo, es el ventilador que permite dispersar la cortina de humo.

Caso clínico

A una mujer se le diagnosticó un cáncer de pulmón, una enfermedad relacionada con un conflicto de miedo a la muerte. Cuando acudió a mi consulta, le pregunté si tenía miedo a la muerte, a lo que ella me respondió: «No, en absoluto». Sin embargo, en la siguiente sesión, me confió: «Me he acordado de algo. Hace poco fui a casa de mi padre y, en broma, cogió a mi bebé y lo sostuvo por los brazos mientras lo balanceaba en el aire desde la ventana de su décimo piso. A mí no me hizo gracia, la verdad. Y después, hay otra cosa que también se me había olvidado. Cuando era pequeña, íbamos todos en el coche y, en medio del campo, mi padre chocó con otro coche. Vi a mi padre cubierto de sangre y mis hermanos estaban allí, inconscientes. Fui corriendo al otro coche para pedir ayuda, pero los dos ocupantes también estaban inconscientes. Así que tuve que ir corriendo hasta la granja más cercana para pedir ayuda. Al final, toda mi familia sobrevivió, pero las dos personas del otro coche murieron en el acto».

Esta mujer había vivido un drama muy intenso y lo había olvidado por completo porque no le había encontrado una solución, era insoportable. Estos acontecimientos estaban ocultos detrás de la cortina de humo.

Lo mismo le sucedió a un monje a quien, en su infancia, le habían inculcado la idea que el infierno y el pecado pasan por la mujer. Se recluyó en un monasterio para, sin ninguna duda, alejarse de las mujeres. En los últimos años de su vida, accidentalmente atropelló a una mujer en una calle estrecha y oscura. Les dijo a los policías que no la había visto. Por decirlo de alguna manera, había borrado la imagen de la mujer. Como era peligrosa, sus ojos se negaban a verla.

Detrás de la cortina de humo, hay una autonomía de la emoción y la creencia. El inconveniente es que, con el paso de los años, no sirve para nada. Un comportamiento que, en un momento dado, fue vital para la supervivencia, puede llegar a ser inútil o incluso molesto unos años más tarde.

Durante la guerra, una persona pudo haber desarrollado conductas de desconfianza y sospecha hacia todo el mundo, y puede que eso la ayudara a sobrevivir. Pero seguir desconfiando de la gente durante cincuenta años puede resultar muy limitante y nada beneficioso. Esta actitud se conoce como paranoia.

En este caso, la terapia consistirá en enseñarle, de algún modo, al inconsciente que la guerra ya terminó. La persona sólo se enfrentará a sus problemas si sabe que puede resolverlos, que puede aportar soluciones.

Un dicho muy sabio dice que un reloj estropeado marca bien la hora dos veces al día. Con un choc, hay algo que se bloquea en el tiempo. La persona tiene razón dos minutos al día pero, el resto del tiempo, está inadaptada. El objetivo de la terapia es arreglar el reloj para que vuelva al presente.

2. Los sistemas nerviosos

«Uno de los principales sistemas de comunicación entre la mente y el cuerpo se sitúa en el sistema nervioso autónomo, con sus dos ramas: el parasimpático y, en el extremo opuesto, el ortosimpático; y en consecuencia, el efecto placebo, que se aplica igual a la enfermedad que a la curación.»

GUY LAZORTHES, *Le cerveau et l'esprit*

Sistema ortosimpático y sistema parasimpático

El sistema nervioso se compone de:

1. **Sistema nervioso cerebroespinal.** Sistema que regula la vida consciente y voluntaria. Las informaciones provienen de los cinco sentidos y tienen una gran repercusión en los músculos rojos (o estriados), movidos por la voluntad.

2. **Sistema nervioso neurovegetativo (o autónomo).** Sistema involuntario, inconsciente. Las informaciones provienen de los cinco sentidos, pero también de cada uno de los órganos del cuerpo humano y repercuten en los músculos blancos (músculos involuntarios, como los del estómago, los intestinos o los bronquios) y las glándulas endocrinas y exocrinas. Controla las grandes funciones de nutrición y reproducción.

Cuando una emoción viene acompañada de un fenómeno como el corazón acelerado, la diarrea o la boca seca, se puede decir que estas reacciones son autónomas, involuntarias, controladas por el sistema neurovegetativo que, a su vez, está dividido en dos:

— el sistema ortosimpático (también conocido como sistema simpático);

— el sistema parasimpático (o sistema vago).

Cada uno tiene sus propios circuitos, sus propias conexiones en el cerebro y la médula espinal y sus propios mediadores químicos. Del sistema parasimpático dependen varios nervios, y uno de los más importantes es el denominado nervio vago.

1. El sistema ortosimpático

Prepara para la acción, aumenta el ritmo cardíaco, así como las tasas de glucemia en la sangre. La irrigación de la sangre va hacia los músculos en detrimento de la piel. Los bronquios se dilatan para permitir el mayor aporte de oxígeno, se ralentiza el trabajo digestivo y el cuerpo empieza a transpirar.

EL SISTEMA NERVIOSO

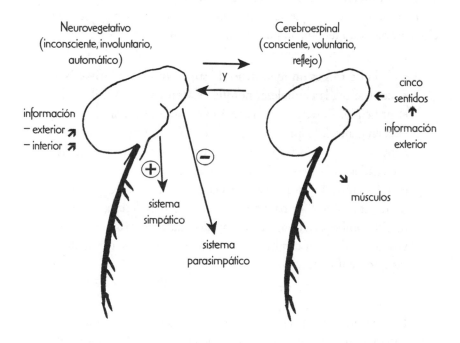

Fig. 17: Los dos sistemas nerviosos.

2. El sistema parasimpático

Es el sistema de recuperación: permite el restablecimiento y la conservación de la energía corporal. Es un sistema de mantenimiento y recuperación.

Así pues, tenemos tres sistemas nerviosos (cerebroespinal, neurovegetativo ortosimpático y neurovegetativo parasimpático) conectados entre sí por centros comunes, pasarelas que explican, por ejemplo, que algunos yoguis controlen los latidos del corazón.

En la era prehistórica, el hombre de las cavernas, como el animal, estaba en una realidad biológica. Tenía que encontrar comida y un refugio para estar seguro. Imaginemos a un hombre prehistórico, un cazador, que en un claro del bosque se encuentra frente a una fiera. El animal también vive su realidad biológica, busca comida. Inmediatamente, el hombre siente que se le acelera el corazón, se le seca la garganta, el cuerpo empieza a transpirar y respira entrecortadamente. Tiene que encontrar una solución de supervivencia con urgencia. Puede ser atacar, huir, camuflarse, intimidar al otro, impresionarlo… Este mecanismo biológico de supervivencia es un ejemplo de la reacción que se ha ido transmitiendo a lo largo de la evolución, gracias a un fenómeno positivo que se llama estrés.

«**El estrés es un fenómeno de supervivencia positivo.** No es contrario a la naturaleza, porque está previsto y es útil desde el principio. El estrés es indispensable para sobrevivir y para la vida en general. El aspecto más reciente, y más típico de nuestra época, es un grado importante de estrés continuo, porque la sociedad actual ofrece cada vez menos puntos de referencia fijos, estables empuja a las personas hacia el individualismo en todos los terrenos y evoluciona y cambia cada vez más deprisa. Hoy en día, el hombre está obligado a adaptarse cada vez más a menudo y más deprisa. Un cambio inesperado equivale, según muchos expertos, a un estrés.»

PROFESOR BERNARD

En una situación de estrés, el sistema ortosimpático domina sobre el parasimpático: nuestro organismo se pone en alerta y da muestras de una fuerza que nos sorprende incluso a nosotros mismos. El miedo estimula al sistema ortosimpático. En el momento del choc, los cinco sentidos reciben la información pero, en lugar de reaccionar por el sistema cerebroespinal voluntario y consciente, pasa directamente al sistema neurovegetativo.

Como ya hemos dicho que hay pasarelas entre ambos sistemas, cualquier aspecto puede pasar del neurovegetativo al cerebroespinal. La terapia persigue que lo que era pasado en el involuntario inconsciente vuelva al voluntario consciente. Entonces, la descarga emocional es la misma.

La abreacción

En una base más biológica encontramos la intuición de Freud, que considera el síntoma como una manifestación en el consciente de un fenómeno inconsciente, que consiste en recuperarlo para la conciencia a través de la anamnesia. Freud hablaba de abreacción. La **abreacción** es una realidad biológica, es una descarga emocional (lágrimas, temblores...) que aparece cada vez que algo del sistema neurovegetativo pasa al sistema consciente.

La curación no sólo consistirá en tomar conciencia (de la relación causa-efecto: choc → síntoma) e identificar el sentimiento emocional, corporal, etc.; sino también en poder hacer una nueva elección, encontrar otra solución, ver el acontecimiento desde un punto de vista nuevo (nueva creencia).

«Lo que el yo no consigue incorporar es patógeno.»
C. G. JUNG

Las tres fases de la enfermedad

Cualquier síntoma o enfermedad siempre evoluciona siguiendo dos o tres fases.

Tomemos por ejemplo una persona que esté viviendo un conflicto de miedo a la muerte. En la primera fase (conflicto activo), presenta una patología en los pulmones. Cuando encuentra una solución al conflicto, entra en la segunda fase, que es el primer periodo de reparación. Su sentimiento es que ya no tiene miedo a la muerte. Esta fase es un periodo de conflicto «en equilibrio», que puede evolucionar a cronicidades, con síntomas de recuperación que no terminan jamás. Cuando el sentimiento se convierte en la certeza de estar a salvo, esta persona entra en la tercera fase, que corresponde a la segunda etapa de reparación, a nivel orgánico, psíquico, cerebral y energético. Generalmente, esta tercera fase suele ser corta.

Si un individuo sufre un conflicto de desvalorización, sus sentimientos serán:

• En la primera fase: «No valgo nada» o «Me menosprecio».

• En la segunda fase: «Dejo de menospreciarme» o «Ya no voy a decir que no valgo nada».

• En la tercera fase: «Soy consciente de mi propio valor» o «Valgo algo, soy alguien».

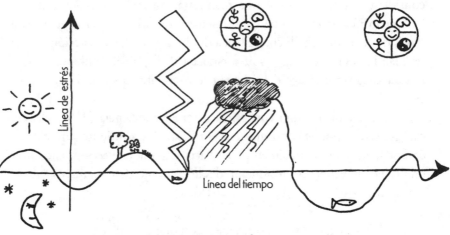

Fig. 18: Las tres fases.

Por tanto, la primera fase es de conflicto activo, dominada por el sistema ortosimpático que es, como ya hemos visto, el sistema de estrés, de combatividad, de vigilancia. Durante esta fase, hay que salir de una situación de tensión poco habitual para la que no estamos preparados ni adaptados.

El sistema parasimpático también puede intervenir en la primera fase, si es el que aporta la solución al conflicto. De manera global, el individuo está en ortosimpaticotonía, pero, asimismo, un órgano determinado, es decir, de manera local, puede estar en parasimpaticotonía.

Por ejemplo: si mi solución de supervivencia es llevar más sangre a los músculos, el sistema que dará la orden de acelerarse al corazón será el ortosimpático, el de estrés. Pero si, ante una contrariedad indigesta, la solución es abrir el apetito (úlcera), el sistema que dará la orden al estómago es el parasimpático, el vago.

La segunda fase es la de cesación de la actividad conflictiva. El individuo «se equilibra»: ya no le da vueltas al problema; psíquicamente se encuentra mejor; el cerebro se repara, así como el órgano. Por lo tanto, el conflicto ya no está activo, pero puede fácilmente reaparecer ante un comentario, un encuentro, un acontecimiento o incluso una pesadilla.

La tercera fase es la de la solución profunda, fase de integración de la experiencia conflictiva, que hará que a la persona le cueste mucho volver a sentir el drama de la misma forma, incluso si se enfrenta a la misma situación. Esta fase es mucho más breve y conduce a una reparación total y completa del cuerpo, del cerebro y del psiquismo. La segunda y la tercera fase son de reparación, y ambas están dominadas por el sistema parasimpático (o vago).

1. Si mi casa se incendia, estoy en estado de hiperactividad para conseguir salvarla. Estoy en un estrés intenso, pero no estoy enfermo; al contrario, estoy lleno de vitalidad para poder encontrar una solución al problema.

2. Enseguida llega la fase de reparación, de reconstrucción, durante la cual vienen el pintor, el electricista, el albañil... Sigue siendo una fase incómoda. Puedo olvidarme de los problemas anteriores y quejarme del polvo y el ruido cuando, en realidad, estoy eufórico porque están arreglando la casa, incluso si es un proceso largo.

3. Y cuando ya está todo arreglado, puedo quitar las escaleras y los andamios y volver a vivir en casa.

Esta metáfora es una ilustración de las tres fases de la enfermedad.
— Alguien sufre un conflicto de miedo-preocupación en la primera fase.
— En la segunda fase, ya no siente miedo.
— En la tercera fase, se siente seguro.

— Alguien siente cólera en la primera fase.
— Cuando encuentra la solución, la cólera desaparece (segunda fase).
— En la tercera fase, se muestra comprensivo.

La segunda etapa es la que puede desarrollar las cronicidades. Cuando alguien sufre un conflicto de desvalorización, pasa por una fase de reparación inicial muy lenta, incompleta y frágil (segunda fase).

En la tercera fase, la reparación física es mucho más rápida: los síntomas de curación son mucho más cortos y, cuando sale de esta tercera fase, la persona es más fuerte respecto a esa sensibilidad particular. Nunca más volverá a caer en ese conflicto. A partir del momento en que llega al sentimiento de «tengo valía», le será más difícil volver a caer en un conflicto con un sentimiento de desvalorización.

Así, la tercera fase es resolutiva en profundidad. Se ha solucionado psíquica, física y energéticamente el conflicto. Entonces, nos hemos encontrado con un conflicto programado, mientras que la segunda fase es una solución del conflicto desencadenante (*véase* pág. 122). La curación en la segunda fase es incompleta porque la persona sigue afectada por el conflicto programado oculto en el inconsciente, que hace que el sentimiento doloroso persista. La verdadera curación se consigue en la tercera fase.

A veces, la segunda fase produce conflictos en suspense, «en equilibrio», y uno de los más particulares es el **conflicto autoprogramado**, del que hablaremos más adelante.

Podemos ilustrar esta evolución con la ayuda de algunos ejemplos:

A. Una persona ingiere hongos en mal estado. Inmediatamente, inicia un plan de supervivencia personal que afecta al aparato digestivo. El cerebro reacciona y da la orden a los músculos del estómago de contraerse, para eliminar los elementos tóxicos mediante los vómitos. O bien, si ya están en el intestino, provocará una diarrea.

Una vez ha eliminado los hongos, la persona pasa directamente a la tercera fase de curación, reparación de la indigestión sin pasar por la segunda fase y entra en un estado de seguridad digestiva, o bien pasa por una segunda fase si, en ese momento, el sentimiento es que lo que tiene en el estómago ya no es tóxico. Pero no deja de pensar en la toxicidad: «No me he envenenado, pero podría haberlo hecho; tengo que ir con cuidado; nunca más comeré hongos». Si esta segunda fase se alarga mucho, la persona puede perfectamente desarrollar una alergia a los hongos.

B. Hace algunos años, unos terroristas aéreos armados retuvieron a varias personas como rehenes en un avión durante varios días. Ante una situación así, uno no siente forzosamente ganas de comer, de tener relaciones sexuales, de dormir o de digerir. Se encuentra en ortosimpaticotonía normal. Una intervención de los cuerpos de élite de la policía francesa liberó a los rehenes en unos minutos, después de haber eliminado a los secuestradores. Los pasajeros fueron liberados y salieron de aquella situación de estrés.

Al día siguiente, unos cuantos todavía estaban estresados: no podían dormir ni comer.

Otros estaban «en equilibrio»; es decir, ya no había peligro, estaban contentos, pero no se sentían seguros. Sabían que sus vidas ya no corrían peligro pero seguían teniendo muy presente el sentimiento de miedo. Tenían pesadillas e incluso pequeñas recidivas del conflicto.

Y, por último, un tercer grupo de rehenes pasó rápidamente a la tercera fase: todo había terminado y enseguida habían tomado conciencia de que ya estaban a salvo.

C. Cuando nos quemamos la mano, o sufrimos un accidente, esa acción sólo dura unos segundos (1.ª fase). Después, enseguida pasamos a la segunda o a la tercera fase o, dicho de otra manera, a la fase de reparación. Los órganos o los tejidos afectados se inflaman. La mano se hincha, está inflamada y, durante unos días, duele; esto no sorprende a nadie porque es del todo normal. **La inflamación es una señal de curación.** Es una referencia fundamental dentro de la terapia.

D. Te peleas con tu pareja, a quien quieres mucho. Te sientes humillado, insultado o incomprendido durante unas semanas. Comes y duermes menos y tienes frío. Después, os reconciliáis. Entonces recuperas el apetito y el sueño, pero empiezas a tener dolores, a vomitar sangre y a tener dolor de cabeza. Estos síntomas se podrían considerar alarmantes, aunque es biológicamente normal que el cuerpo esté agotado, vomite sangre, se duela, recupere el apetito, engorde: son señales que indican que la persona está en fase de reparación, de curación. **Hay que entender que, en fase de reparación, también hay síntomas y que pueden ser dolorosos.**

E. Cuando alguien sufre un conflicto motor, es decir, que por ejemplo, se le imponga que no puede avanzar cuando para él es vital hacerlo, genera una esclerosis en placas. En conflicto activo (1.ª fase), tiene los **mús-**

culos tensos. Cuando soluciona el conflicto, hace un edema cerebral y pasa a la segunda fase, de enfermedad caliente, con síntomas de segunda fase que, en este ejemplo, sería una **parálisis blanda.**

En resumen, las enfermedades y los síntomas se pueden clasificar en fase 1, 2 o 3.[9]

Los síntomas propios de la segunda fase son los inflamatorios.

La inflamación

Cuando, por ejemplo, alguien se quema la piel, el sistema inconsciente involuntario inmediatamente da la orden al cuerpo de reparar los tejidos afectados a través del fenómeno de la inflamación.

Las pequeñas arterias aportan los materiales que se emplearán para fabricar tejido nuevo.

Un conflicto que haya durado poco tiempo puede, en ocasiones, tener un proceso de reparación muy largo; y otro que haya durado años, puede solucionarse en un momento, porque la reparación es proporcional a los desgastes, pero no forzosamente a la duración del conflicto.

Así pues, la inflamación es un estado de reacción que afecta a las células y a su entorno líquido vascular.

Los cuatro signos de una inflamación son:
— enrojecimiento,
— dolor,
— calor e
— hinchazón (edema).

Las causas pueden ser múltiples:
— traumáticas,
— medicamentosas,
— químicas,

9. Cronoterapia: consiste en controlar el ritmo circadiano para dar trata- miento. Varios estudios han demostrado que, según a qué hora se admi- nistre la quimioterapia, el paciente la tolera mejor o peor, dependiendo de si está en fase de simpaticotonía (día) o de parasimpaticotonía (noche).

— térmicas,
— mecánicas,
— radiológicas,
— psicobiológicas, etc.

La función de la inflamación es el restablecimiento de la homeostasis, el estado de equilibrio biológico del cuerpo.

Este proceso sigue cinco etapas:

1.ª etapa: vasodilatación. Después de sufrir un traumatismo mecánico, térmico, químico, radiológico, etc., la primera reacción es la vasodilatación. Los vasos sanguíneos se dilatan localmente para aumentar la permeabilidad capilar, así permiten aumentar los intercambios de materiales entre vasos sanguíneos y tejidos y recuperar los deshechos de los tejidos. Por lo tanto, hay mucha más cantidad de sangre y por eso se produce un calentamiento, un enrojecimiento y un edema localizado. Al mismo tiempo, también se produce una lesión de las fibras nerviosas. El edema afecta a las fibras nerviosas y esta presión sobre el edema crea un dolor inflamatorio.

2.ª etapa: llegada de glóbulos blancos, liberados inmediatamente por la médula ósea. Su función es «comerse» los desechos.

3.ª etapa: liberación de alimentos por el cuerpo para construir y alimentar los tejidos afectados. Las proteínas y los lípidos son materiales de construcción y los glúcidos de nutrición.

4.ª etapa: llegada de la fibrina. La fibrina es como un hilo de pescar cuya función es detener la progresión del coágulo.

5.ª etapa: al cabo de unas horas, el pus se empieza a eliminar. El pus está formado por glóbulos blancos vivos y muertos, desechos, células muertas y bacterias vivas para acelerar la curación (este punto se desarrollará con más detalle más adelante (*véase* pág. 150)

El umbral sensible

Cualquiera puede presentar síntomas de segunda fase sin que antes haya presentado síntomas de conflicto activo. Por ejemplo, una persona sufre una otitis (una gran inflamación del oído) o unas anginas, dos síntomas de curación, sin haberse dado cuenta físicamente que estaba pasando por un conflicto activo. El terapeuta no deberá buscar el conflicto justo antes de la

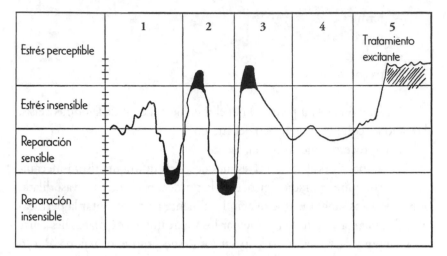

Fig. 19: El umbral sensible.

otitis, sino quince días, un mes o incluso tres meses antes. Esta persona vivió este periodo sin síntomas visibles, porque el conflicto activo estaba por debajo del umbral sensible.

Esta noción de umbral sensible se puede presentar de distintas maneras, dependiendo del caso:

1. Alguien sufre un pequeño conflicto, vive una pequeña contrariedad. Si se queda a un nivel inferior al umbral sensible, la persona no se da cuenta de nada. Pero cuando soluciona el conflicto y pasa a la segunda fase, puede hacer un proceso de reparación brutal, agudo, con síntomas de curación muy sensibles, visibles, que sobrepasan el umbral sensible.

2. Una persona sufre un choc muy fuerte. Los síntomas aparecen al cabo de unos días; después llega una solución rápida, inmediata, con síntomas importantes.

3. Una persona sufre un choc muy fuerte, con síntomas importantes. Lo soluciona muy progresivamente. Hace una curación por debajo del umbral sensible, sin signos visibles ni sensibles.

4. Una persona sufre un pequeño conflicto, con una pequeña solución progresiva. No se da cuenta de nada porque no hay síntomas. Pero acaba de sufrir un conflicto programado, algo que detallaremos más adelante. Puede que también sea útil saber que hay personas que pueden sufrir un conflicto activo, o en solución, sin que haya síntomas.

5. Algunas personas, si toman cortisona, drogas o excitantes, pueden exteriorizar una enfermedad que, hasta entonces, pasaba totalmente desapercibida.

El médico, en tanto que detective, debe ser consciente de esta realidad para saber en qué punto está el paciente, porque durante la terapia tendrán que encontrar el conflicto, la fecha del choc y la de la solución. Esta noción de umbral sensible también permite hacer entender a los pacientes que pueden solucionar su conflicto sin tener que sufrir forzosamente síntomas de curación problemáticos.

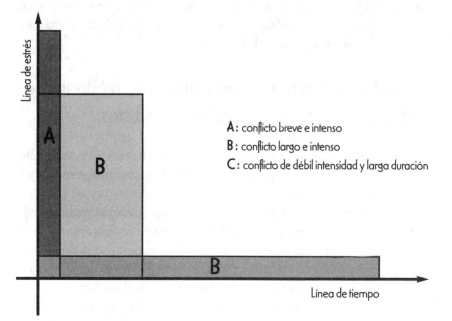

Fig. 20: Línea de tiempo y línea de estrés.

El tiempo biológico

Un conflicto se tiene que regular en la mayor brevedad posible. En la naturaleza, es necesario encontrar una solución concreta con bastante rapidez. La enfermedad existe para darnos un plazo adicional de supervivencia.

Si no tenemos comida, el hígado almacenará lo poco que comamos, de cara a conservar una reserva de energía para una futura salida que nos permitirá cazar una presa mayor. Si lo consumimos todo de inmediato, por ejemplo, si gastamos todo el dinero, no tendremos con qué llenar el depósito para ir a la oficina de empleo a buscar trabajo.

La función del nódulo en el hígado es, por tanto, acumular reservas a la espera de encontrar una solución, una fuente de alimentación. El nódulo es una oportunidad suplementaria, pero eso no significa que vaya a sustituir a la alimentación: igualmente tendremos que buscar y encontrar comida; si no, nos moriremos de hambre.

También hay un plazo, un límite. Si lo sobrepasamos o, dicho de otra manera, si no encontramos solución al conflicto, nos morimos o bien tenemos que vivir aferrados a una prótesis o una ortesis, que puede ser un medicamento, una operación o cualquier otro invento de la medicina para prolongar la vida, la comodidad de la vida.

Conflictos «en reparación», «en equilibrio», «recidivantes», «autoprogramados» y «la sucesión de conflictos»

A veces, la segunda fase produce conflictos en suspense, «en equilibrio», de los que una forma particular es el **conflicto autoprogramado** que abordamos a continuación.

En el conflicto autoprogramado, en lugar de sentirnos agredidos por un acontecimiento externo, la fuente de un nuevo conflicto es el propio cuerpo. Y esto desencadena otros conflictos. Es un fenómeno frecuente que provoca cronicidades de las que cuesta desprenderse porque no necesita un fenómeno exterior: es él mismo, solo, el que recae en el conflicto. La toma de conciencia es una liberación bastante rápida de este tipo de conflictos. El hecho de descubrir, durante la terapia, el primer choc, de explicar la cadena de conflictos, el sentimiento conflictivo suele permitir que la persona se cure más deprisa.

Ejemplos:

a) Una chica se sentía agredida por su hermano porque, para despertarla por la mañana, le hacía cosquillas. Por lo tanto, creó una pantalla de protección y, poco después, donde su hermano le hacía cosquillas, le apareció una mancha negra en la piel. Sin poder remediarlo, la niña empezó a sentirse sucia por aquella mancha negra así que le salió una segunda mancha negra, debajo de la primera, para protegerse de ésta.

b) Una chica sufría un conflicto de desvaloración estética. Le empezaron a salir pequeños granos en la piel, casi imperceptibles. Cuando recuperó confianza en sí misma, sufrió un acné inflamatorio, que es un síntoma de segunda fase. ¡Pero estos signos de curación la desvalorizaban aún más a sus propios ojos! Entonces empezó una fase de estrés, de conflicto activo (ortosimpaticotonía), etc. Al volver a solucionar el conflicto, el acné reapareció, y todavía más intenso, lo que produjo un tercer choc. Esta chica sufría un conflicto autoprogramado.

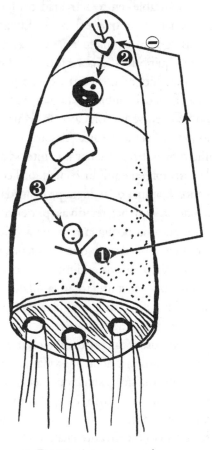

Fig. 21: Autoprogramado.

c) Una mujer, secretaria, se desvalorizaba a consecuencia de unos reumatismos que no la dejaban escribir a máquina. Se le hundía el cartílago de los dedos. Cuando dejó de desvalorizarse, los dedos se le inflamaron. Y así, aún podía utilizarlos menos, lo que creó un nuevo conflicto de desvalorización. Cuando consiguió superar este segundo conflicto, pasó a la fase de curación, con los dedos inflamados e hinchados. Ya no podía utilizar ni las manos y, lógicamente, se desvalorizó todavía más. Llegó a una cronicidad dramática, de la que ya está curada.

El conflicto «en equilibrio»

Se trata de un conflicto pasado, sin resolver, que puede permanecer suspendido a lo largo de los años. Es de una actividad muy baja. Está en un estadio intermedio, soportable, entre actividad conflictiva y curación. Es un conflicto reducido, activo aunque rechazado. El paciente puede perfectamente llegar a viejo con un conflicto así. A veces, es difícil diferenciar entre un conflicto en equilibrio y una recidiva de conflicto. El conflicto permanece en segundo plano, como si estuviera en un cajón, ni delante ni detrás; no se cura. La causa del conflicto ya no es evidente, ya no pensamos en ella, pero el conflicto no se ha solucionado. Permanece **suspendido**, y no necesita mucho para volver a avivarse. Bastaría con volverse a enfrentar a la causa del conflicto para desencadenar una intensa actividad conflictiva.

Hablamos de **curación en equilibrio** cuando el conflicto no se mueve de la fase de parasimpaticotonía de manera prolongada, una fase que no se puede terminar debido a **pequeñas recidivas**: por ejemplo, alguien deja de desvalorizarse, pero basta una pequeña frase para volverlo a hundir en el conflicto activo. También es frecuente que los sueños y las pesadillas (que son signos de que el conflicto todavía está muy activo) impidan la curación.

A partir del comienzo del conflicto en la infancia, **la personalidad se bloquea, se paraliza.** Hay que pasar a la tercera fase para seguir creciendo, pasar al siguiente estadio de evolución.

El **embarazo** puede provocar un conflicto en equilibrio: el síntoma no evoluciona, porque damos prioridad a la vida que crece en nuestro interior. Por lo tanto, el problema no se soluciona, sencillamente se aplaza hasta el momento de los dolores del parto, en que la madre está en estado de simpaticotonía (*véase* pág. 133).

Hablamos de **conflicto recidivante** cuando el mismo acontecimiento exterior se repite con regularidad. Es la recidiva del mismo conflicto, porque no se ha solucionado correctamente. Normalmente, se trata de pequeños conflictos recurrentes. Son la causa de enfermedades crónicas, como los reumatismos crónicos, los síntomas bronquíticos o cardiacos.

La **sucesión de conflictos** aparece cuando los acontecimientos exteriores, independientes entre ellos, siempre afectan al mismo sentimiento. Lo vivimos en el mismo raíl. En este caso, también se alarga la segunda fase.

Un conflicto que expulsa a otro: dos acontecimientos exteriores, independientes entre ellos, pero que no afectan siempre al mismo sentimiento. El segundo choc crea la curación del primero.

Ejemplos:

a) Una mujer vivía un conflicto activo respecto a su marido. Se sentía mal en esa relación, veía cómo él se alejaba y se daba a la bebida. A ella le habría gustado ayudarle, pero no lo hizo. Entonces, inició una patología en un pecho, de manera muy progresiva, durante varios meses. Al principio, no se dio cuenta de la aparición del nódulo profundo, invisible e insensible. Más tarde, entre el matrimonio estalló una pelea, algo que ella vivió de manera muy humillante. Hizo un segundo choc y entonces, inmediatamente, solucionó el primer conflicto, ¡porque ya no quería ayudarle para nada! Entró en la fase de curación del pecho, que se le inflamó y le dolió. Sin embargo, a consecuencia del segundo conflicto (desvalorización), inició una descalcificación silenciosa. Así pues, este choc creó un dolor en el pecho, aunque no se trate de un conflicto relativo a la maternidad, sino a la desvalorización. Estos procesos pueden ser muy sutiles.

b) Un padre demostraba mucha cólera hacia su hijo, porque no hacía nada en el colegio. Esta cólera descodificó las vías biliares. Tres meses más tarde, le comunicaron que su hijo sufría una leucemia muy grave y que podía morir en pocos meses. El diagnóstico desencadenó en el padre una ictericia: pasó inmediatamente a la fase de curación del conflicto de cólera. Ante su hijo enfermo, no podía demostrar más cólera. El primer conflicto no se reguló directamente: no lo habló con nadie y su hijo tampoco mejoró en el colegio. El segundo conflicto expulsó al primero que, de repente, pasó a ser inconsistente.

Esto suele suceder cuando una persona sabe que tiene cáncer. Relativiza los otros conflictos, que se desinflan de golpe. Me he encontrado varios ejemplos de este fenómeno en personas que tenían cáncer de hígado, relacionado con el miedo a las carencias (por ejemplo, por problemas relativos al dinero). Cuando reciben el diagnóstico, de repente, les es totalmente indiferente perder su trabajo o todo su dinero. Entran en una nueva escala de valores donde lo que cuenta es la vida. También es posible que el mundo exterior cambie para con ellas: estas personas reciben ayudas económicas y/o afectivas. Cuando les diagnostican cáncer, pasan directamente a la fase de curación del conflicto que lo ha provocado.

3. Los cuatro niveles de la biología

«De la palabra a la célula, de la psicología a la biología, ya no existe la incompatibilidad de caracteres, al fin se ha entablado un diálogo. La síntesis de este intercambio tiene nombres compuestos, como psico-neuro-inmunología, psicobiología o psico-neuro-endocrinología. El carácter científico de estas denominaciones expresa el deseo de salir de la incomunicabilidad que existía entre las ciencias humanas y las ciencias de la vida. No pretendo reducir las emociones a una alquimia científica de las secreciones biológicas, sino más bien descubrir la complejidad de las posibles interacciones entre los acontecimientos de la vida mental y el funcionamiento del cuerpo.»

M. Fréchet

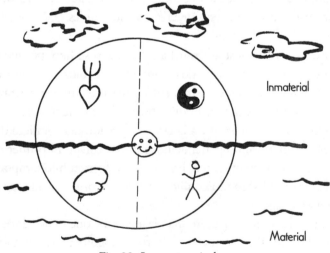

Fig. 22: Los cuatro niveles.

«Persunificar» a las personas

En el pasado, con el pensamiento animista, se habían **personificado las cosas**, otorgándoles atributos humanos (pensamientos, deseos, sentimientos, etc.). En la actualidad, hemos **cosificado las personas**. El ser humano se ve como un objeto divisible, o como un puzzle, o incluso como un hospital, con un servicio que se ocupa del corazón, otro de los nervios, otro de los músculos, de los huesos, del aparato digestivo, del psiquismo, etc.

Tenemos que intentar personificar la persona, reunificarla: «persunificarla». Para eso, propondremos el siguiente enfoque:

Reunir:

— la función biológica (ej. la digestión)
— la zona cerebral (el brainoma:* el lado derecho del tronco cerebral)
— el órgano (el estómago)
— el sentimiento (indigesto)
— la realidad energética (el meridiano del estómago).

Hay una unidad entre la función biológica, la zona del cerebro que le corresponde, el sentimiento que va asociado a ella, los órganos correspondientes y los meridianos energéticos. También hay otra unidad indisociable entre tocar, el contacto, la ternura, la epidermis, el córtex somatosensitivo y el meridiano energético correspondiente.

Dentro de esta cuadripolaridad psiquismo-energía-cerebro-órgano, una parte funciona conscientemente y otra, inconscientemente.

Uno puede ser consciente del dolor o del placer. Es una información que viene del cuerpo, pasa por los nervios, el cerebro, hasta llegar a la conciencia. Tenemos un sistema nervioso consciente: el sistema cerebroespinal.

Y tenemos otra realidad inconsciente, la homeostasis; es decir, la autorregulación permanente del cuerpo: no tenemos la necesidad de sentir quince veces por minuto la angustia de asfixiarnos, respiramos inconscientemente. Las glándulas y la presión arterial se regulan solas, las hormonas se equilibran, el cuerpo fabrica glóbulos rojos cuando tiene pocos, el estómago produce ácido clorhídrico cuando es necesario, y estos procesos se interrumpen cuando hace falta. Todo esto está regulado por el inconsciente corporal y por el sistema nervioso inconsciente, neurovegetativo e involuntario.

Del mismo modo, en el terreno del psiquismo también hay una realidad inconsciente, que incluye aprendizajes, creencias y valores.

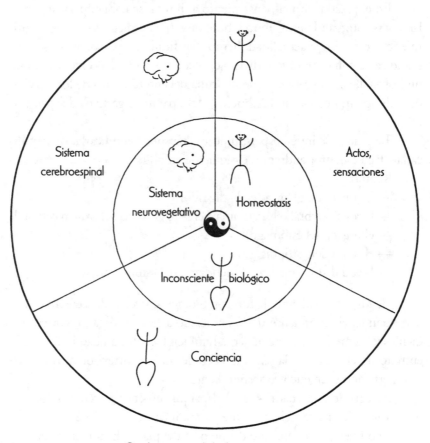

Círculo interno: vida biológica inconsciente
Círculo externo: vida biológica consciente

Fig. 23: Consciente e inconsciente.

Estos cuatro niveles evolucionan de manera simultánea. Ante un drama o una angustia, los cuatro reaccionan a la vez.

El cuerpo, conjunto de todas las células, es receptor/emisor. Todas las informaciones llegan a través de él, y a través de él también se ejecutan todas las órdenes.

En cierto modo, el cerebro es la interfaz cuerpo/espíritu, que ha integrado todas las funciones de nuestro comportamiento y que está en permanente adaptación.

El psiquismo (como el genoma) es el programador. Es el conjunto de las funciones biológicas de supervivencia, y sólo será consciente a partir de cierto umbral de satisfacción o de insatisfacción. Por debajo de este umbral, el psiquismo es silencioso y todo sucede a nivel inconsciente.

Las tres etapas de nuestra reacción biológica

1. A partir de un choc, de un acontecimiento excepcional, imprevisto, inesperado, para el cual nuestra biología no estaba preparada o habituada, la biología inconsciente reacciona y busca la mejor solución. Un ejemplo: son las once, pequeño conflicto de falta de azúcar en la sangre; inmediatamente, el hígado libera, sin que yo lo sepa, glicógeno (azúcar) para el cuerpo.

2. Sin embargo, más allá de un determinado umbral, el acontecimiento (en nuestro ejemplo, la hipoglucemia) llega a la conciencia.

3. Si el cuerpo, el cerebro y el psiquismo no encuentran ninguna solución consciente y voluntaria, es el inconsciente involuntario el que buscará la respuesta de adaptación y supervivencia. En función del sentimiento, el cerebro da al cuerpo órdenes de excepción. De este modo, el cuerpo también es el que activa el psiquismo. Cuando el problema se ha regulado, la cuadripolaridad vuelve a su camino, se cura simultáneamente, por esta unidad. Siempre sucede así.

En este ejemplo, si nos falta azúcar en la sangre, la primera reacción es inconsciente: la biología le pide al hígado las reservas de glicógeno. Pero si la demanda de comida es demasiado importante, sobrepasamos el efecto umbral y la conciencia percibe una sensación de hambre. A partir del momento en que tenemos algo en el estómago, el cuerpo, el cerebro, el psiquismo y la corriente energética se tranquilizan de inmediato. Incluso la idea de tener algo en el estómago puede producir la misma tranquilidad, siempre respondiendo a la unidad del psiquismo y el cuerpo. Cuando le pedimos a alguien que piense en su plato favorito, empieza a salivar (cf. los famosos experimentos de Pavlov con los perros). La idea de la cosa produce un efecto físico, corporal. Constatamos la misma realidad con el efecto placebo o con determinados fenómenos hipnóticos.

Se han practicado operaciones quirúrgicas placebo en pacientes que tenían graves problemas cardíacos y que no podían someterse a la intervención real. Se simuló una operación, con quirófano, anestesia, etc. Pero sólo se les hizo una cicatriz, sin tocar el corazón. Después de la operación simulada se observó una gran mejoría y los pacientes, sin ser operados, se fueron encontrando cada vez mejor.

El miedo a estar sucio por una mala alimentación puede provocar problemas, igual como una alimentación que es buena para cada uno puede solucionarlos tranquilizando, revalorizando y dando un sentido a la vida. Lo fundamental es que los cuatro niveles lleguen al estrés al mismo tiempo y basculen hacia la curación a la vez. Hace millones de años que todo marcha a la perfección gracias a esta unidad.

Dentro del mundo científico, cada vez más investigadores se toman en serio esta unidad fundamental del ser vivo, hasta ahora patrimonio exclusivo de las corrientes espiritualistas.

Así, en su libro *L'illusion psychosomatique*, Robert Dantzer escribe:

«En su medio, el individuo es cuerpo y espíritu al mismo tiempo. El éxito de la adaptación a ese entorno depende de la sinergia armoniosa entre estos dos aspectos de una entidad existencial única. No se puede conseguir una cosa sin la otra, sino a través de la ilusión de un punto de vista que da privilegios a una a expensas de la otra.»

«Un trauma emocional severo podría afectar seriamente al cerebro, especialmente al hipocampo. La idea que un episodio de estrés pueda provocar desgastes en el cerebro es una gran noticia. Parece ser que el responsable de esta pérdida de la masa neuronal es el cortisol, la hormona segregada por las glándulas suprarrenales en caso de estrés.»

Extracto del *American Journal of Psychiatry*

Para David Bohm, el universo manifiesta tres aspectos mutuamente implicados, que son la materia, la energía y el sentido:

«Desde el punto de vista del orden implícito, la energía y la materia están impregnadas de una clase de significado que da forma a su actividad global y a la materia que se genera en nuestra actividad. La energía del espíritu y la de la sustancia material del cerebro también están impregnadas de una clase de significación que da forma a su actividad global. Por lo tanto, de manera muy general, la energía implica materia y sentido, mientras que la materia implica energía y sentido. Y el sentido implica materia y energía al mismo tiempo. Así, cada una de estas nociones de base implica a las otras dos [...] El sentido es una parte inherente y básica de nuestra realidad global, y no sólo una cualidad abstracta y etérea, que sólo existe dentro del espíritu. En otras palabras, **significar es ser.** De otra manera podríamos decir que **somos la totalidad de lo que significamos.**»

Theilhard de Chardin:

«El crecimiento de la conciencia culmina en el hombre que representa el eje y la flecha de la evolución, pero debemos reconocer, como mínimo en el estado naciente, la presencia de un espíritu en el átomo.» (1948)

«Estamos lógicamente destinados a conjeturar en cualquier corpúsculo la existencia rudimentaria de alguna psique.» (1956)

Guy Lazorthes:

«La mente en el sentido más amplio de la palabra es lo que nace con el origen integrado a la materia. Lo intuimos en el ser unicelular que se desplaza para buscar comida. También se observa en cada una de las células del organismo pluricelular genéticamente programado para funciones tan distintas como encontrar su sitio a lo largo del desarrollo, defenderse fabricando anticuerpos, reparar una pérdida de sustancia, etc. Más allá de la célula, del tejido y del órgano, la mente del organismo que nace y se desarrolla en el cerebro integra en uno todas las partes del cuerpo, se convierte en inteligencia y pensamiento.»

«La mente aparece y evoluciona con la materia. Es su servidora. Pero cuando llega al nivel de lo humano, se convierte en su ama.»

Le cerveau et l'esprit, 1982

Cada vez es más habitual ver, en el discurso científico, palabras que son, al mismo tiempo, orgánicas y psicológicas. Así, por ejemplo, se habla de neurotransmisores (transmisión) y de mediadores (mediación). Dentro de la evolución actual de la ciencia, los términos científicos y psicológicos acaban pareciéndose.

El embrión fabrica la epidermis al mismo tiempo que la necesidad de contacto con el mundo exterior. Fabrica, simultáneamente, el córtex somatosensitivo (en el cerebro), la epidermis (en el cuerpo) y la realidad del contacto. Igual que el pájaro fabricará a la vez la función de volar, las alas y la parte del cerebro que dirija el movimiento de las alas.

Esto explica algunos problemas denominados genéricos: durante el embarazo, si la realidad del contacto es imposible dentro de una familia, el feto lo nota, y puede que, cuando nazca, lo haga con una esclerodermia o un eczema. Descodifica la epidermis, cuya función biológica es el contacto. Otro ejemplo: en una familia donde el padre no podía marcar su territorio, el hijo nació sin vejiga (porque marcar el territorio no sirve de nada).

Algunos investigadores, muy audaces, emiten la idea (¿metáfora o realidad?) de un doble cerebro: uno el que está en la cabeza y otro que estaría en cada célula y que correspondería al núcleo de cada célula del cuerpo. De este modo, la conversación sería permanente, un continuo intercambio de informaciones, de reacciones, de reacciones a las reacciones, etc., de modo que cada información fuera una reacción a una información anterior. Así pues, la unidad está presente en cada neurona, cada célula y la función biológica subtendida en el órgano en cuestión.

Recuperamos el ejemplo de la epidermis. Está en un intercambio de información permanente con el córtex somatosensitivo y se corresponde con la realidad del contacto. Si el contacto con el mundo exterior se interrumpe, de manera real o virtual, la piel informa al cerebro o bien el cerebro informa a la piel. Aunque la puerta de entrada sea imaginaria (por el cerebro) o real (por la piel), la piel se escama y se rompe, porque no hay contacto (no hay posibilidad o ya no hay necesidad).

Dentro de esta cuadripolaridad, si a alguien le amputan un miembro o un órgano, es un poco como si la biología no lo supiera. Puede que a una mujer le hayan quitado un pecho y, sin embargo, sufra el conflicto de nido. O puede que a alguien le amputen la pierna y sufra un conflicto de separación porque la realidad está allí, en su psiquismo: es el *miembro-fantasma*.

«El pensamiento es invisible, silencioso, inodoro, impalpable, ni frío ni caliente, imponderable; en una palabra, es algo que existe y no es nada. Una nada que rebosa ideas, una nada que puede hacer que el universo entre en nuestro cráneo, una nada que hace preguntas y da respuestas, una nada que tiembla de miedo o de placer y que, al final, manda sobre nosotros.»

JEAN OLIVIER HÉRON

— Las formas del cerebro y del cuerpo están relacionadas y progresan simultáneamente en la evolución, así como la función biológica y la realidad energética.

— El cerebro representa, ya lo hemos comentado, la interfaz entre el psiquismo y lo físico.

— El cerebro de un hombre adulto pesa unos mil quinientos gr.

— El cerebro humano sólo representa el 2 % del peso corporal total y, en reposo, consume el 20 % del oxígeno respiratorio, lo que da muestras de la importancia funcional de este órgano.

— Está compuesto por distintos tipos de células, aunque las más conocidas son las neuronas. La cifra está estimada en varios miles de millones (cien mil millones, según algunos).

— Cada neurona recibe varios miles de contactos de otras neuronas y emite otros tantos a otras neuronas, en ocasiones bastante lejanas. Se calcula que hay varios centenares de miles de millones de conexiones (sinapsis) entre neuronas, y el número de combinaciones posibles se acerca bastante al infinito ($10^{2783000}$). Cada cm^2 de cerebro contiene 500 millones de contactos.

— Una neurona puede recibir hasta diez mil mensajes al mismo tiempo. Los integra, los filtra y los transforma. Dependiendo de la información que haya recibido, la neurona se adapta: es la plasticidad sináptica al entorno. Si comúnmente está admitido que las neuronas no pueden reproducirse, sus conexiones sí que son capaces de modificarse según las necesidades; el cerebro tiene una sorprendente capacidad de adaptación.

— El cerebro tiene una actividad interna muy intensa que proyecta su visión al exterior y no recibe de forma pasiva. Vemos lo que hemos aprendido a ver (en el periodo de aprendizaje, las experiencias, los conflictos, etc.). Así pues, el cerebro es, a la vez, plástico, flexible (aprendizaje) y rígido (memoria). Asocia sentido y emoción. También pensamos con el cuerpo.

Boris Cyrulnik afirma: «También es posible conocer tu estado mental cuando quieres ocultarlo. Cuando te insultan, puedes permanecer en un estado de calma aparente, pero una imagen del cerebro traicionará en ese mismo momento a tu problema emocional».[10]

Denis Le Bihan (en el mismo artículo) nombra la cartografía del cerebro humano: «el brainoma», equivalente cerebral al ya conocido genoma (conjunto de datos genéticos).

Y Rita Carter lo acaba de esclarecer al relatar la siguiente experiencia: «El simple hecho de mirar la foto de un hombre expresando un tremendo desagrado ha provocado, en el cerebro de la que persona que miraba la foto, una actividad localizada que reaccionaría si él mismo sintiera ese disgusto. Cuanto más intensa es la expresión, más reacciona el cerebro». ¿Cuál es el sentido biológico? En tiempos prehistóricos, y aún hoy en día, ver a una persona con mala cara frente a un plato incita a la prudencia y pone todos los sentidos en alerta para evitar un envenenamiento.[11]

Las cuatro puertas de entrada

Interés terapéutico

Ya sea para enfermar o para curar, podemos intervenir por una de las cuatro **puertas de entrada**, que son el psiquismo, el cerebro, el cuerpo y la energía.

1. El **pensamiento**, la vida mental, abstracta, la imaginación, la sugestión, la hipnosis, los efectos placebo... Hay sueños que nos ponen enfermos. Por ejemplo, una persona que, por una pesadilla, reactiva un conflicto, un drama y se despierta en plena crisis de asma.

2. Los **meridianos energéticos** con los puntos de acupuntura. Tienen una función de antena. Permiten al terapeuta no sólo obtener información sobre el estado interior del paciente, sino también tratar los síntomas; porque cuando el terapeuta coloca una aguja en un punto de acupuntura, da

10. Revista *Science et Avenir*, septiembre 1999.
11. En Rita Carter, *El nuevo mapa del cerebro: guía ilustrada de los descubrimientos más recientes para comprender el funcionamiento de la mente*, RBA Libros, S.A., Barcelona, 1999.

una información que el meridiano transmite al cerebro, y así se crea un reequilibrio energético con impacto sobre los otros tres polos (psiquismo, cerebro y cuerpo).

3. El **cerebro** (operación, traumatismo craneal, alcohol, drogas, medicamentos, etc., que actúan sobre los intercambios químicos directamente en el cerebro).

4. El **cuerpo**. Si he ingerido hongos en mal estado, vomito; si el sol me quema la piel, me bronceo. Las radiaciones radioactivas destruyen los glóbulos sanguíneos.

La toma de conciencia de la unidad de las distintas etapas del ser humano en el transcurso hacia la enfermedad es muy tranquila, en el sentido que la misma unidad está trabajando para ir hacia la curación. Si ya no sufro ningún conflicto (en las condiciones que hemos precisado), ya no sufro ninguna enfermedad.

Por otro lado, una información a un nivel nos permite deducir lo que pasa en los otros niveles. Por ejemplo, si los resultados de un análisis de sangre revelan una anemia, podemos formular la hipótesis que la persona ha vivido una desvalorización y, en el escáner, veremos una imagen sobre una zona precisa de la médula cerebral. Si el escáner muestra una imagen a la altura del tronco cerebral, deduciremos la presencia de un conflicto de tipo arcaico más importante. A través del meridiano energético podemos descubrir una debilidad en el hígado, por ejemplo, y la historia de la persona puede que nos revele un choc de miedo a carencias no solucionado.

A través de la anamnesia, si el paciente vive una descarga emocional sobre un sentimiento en concreto, es posible que en un escáner se vea una imagen en el cerebro y se detecte un síntoma físico en concreto.

Mediante la terapia, al tratar a alguien a nivel del psiquismo, también se le trata, al mismo tiempo, el cerebro, el cuerpo y la energía. Al tratar al ser vivo en un nivel, al mismo tiempo se tratan los demás.

En cuanto a la multitud de técnicas terapéuticas ofrecidas hoy en día, todas pueden ser eficaces. Pero una técnica terapéutica realmente eficaz es la que persigue que no haya marcha atrás posible en el tratamiento y conseguir con ello una reorientación de todo el individuo.

Yo diría, de manera un poco abrupta, sin duda, que existen dos formas de terapia: el apósito, que esconde la herida, pero que para hallar la salud hay que preguntarle al paciente: «¿Qué salud tiene?», o buscar la emoción que hay debajo del apósito.

La terapia irreversible, la que conduce al paciente a la tercera fase de la enfermedad, hace que la emoción dolorosa ligada al choc no pueda volver a sentirse de la misma manera. La curación profunda es la que libera la emoción, porque el síntoma es la emoción cristalizada.

Hielo = síntoma; palabra; fuego; agua; emoción expresada, lágrimas; vapor; átomo, oxígeno, hidrógeno.

Fig. 24: Del hielo al vapor.

El síntoma se puede comparar con un cubito de hielo. Cuando la persona empieza realmente a hablar de su problema, funde el hielo. Pero, cuando éste se ha transformado en agua, todavía es fácil que se vuelva a convertir en hielo. Cuando la persona se autoriza a expresar sus emociones y llora, este agua desaparece y se transforma en vapor. Es la descarga emocional, la abreacción. Una vez transformada en vapor, es mucho más difícil que el agua se solidifique en hielo. Si seguimos calentándolo, yendo más lejos, el vapor se disolverá y desaparecerá en el aire. Los átomos de hidrógeno y de oxígeno se separan; en terapia, esto se traduciría en la dimensión simbólica, como la prescripción de actos simbólicos, las tareas metafóricas de Milton Erickson o los actos psicomágicos de A. Jodorowsky. Después de haber transformado en vapor un acto, nunca volverá a ser como antes. Ahora ya será mucho más difícil que esas mismas moléculas de hidrógeno por un lado, y las de oxígeno por el otro, puedan volver a asociarse para transformarse en hielo, en síntoma, porque ya las hemos separado. Es una curación profunda.

Encontramos diferentes dimensiones de técnicas terapéuticas:
— Primera técnica: tratamiento médico.
— Segunda técnica: la palabra (psicoanálisis...).
— Tercera técnica: emocional (renacimiento...).
— Cuarta técnica: dimensión simbólica, paso al acto (prescripción de tarea...).

4. Lo real y lo imaginario

Hace unos meses, se produjo un episodio muy desgraciado: por un descuido, un hombre se quedó encerrado toda la noche en una cámara frigorífica. Lo encontraron al día siguiente, muerto por congelación. En realidad, el frigorífico no estaba enchufado, pero el hombre no lo sabía.

En un laboratorio, se realizó un experimento. Metieron a una paciente en un escáner y le pidieron que pensara en una manzana, un caballo, etc. Cada vez que pensaba en esas palabras, tenía que apretar un botón que accionaba la máquina que tomaba la imagen del cerebro. A continuación, proyectaron delante de ella, en una pantalla, fotos de una manzana, un caballo, etc. Cuando las veía, tenía que apretar el mismo botón.

Al comparar las dos series de escáners, los especialistas se dieron cuenta que eran idénticas. Presentaban las mismas zonas de estimulaciones cerebrales por la idea y por la imagen de una manzana. Sin embargo, entre la manzana y el caballo, el dibujo del escáner era distinto. En otras palabras, en cuanto al funcionamiento biológico, **la cosa y la idea de la cosa con equivalentes.**

Se conoce el caso de un chico, vecino de Var, al que un día le diagnosticaron que era seropositivo. Perdió diez kilos en seis meses pero, al poco tiempo, recibió una llamada del hospital disculpándose porque se había producido un error en la historia clínica y, por lo tanto, su diagnóstico no era correcto. Había adelgazado por la idea de ser seropositivo, no por el hecho de serlo. Recuperó su peso en cuatro meses.

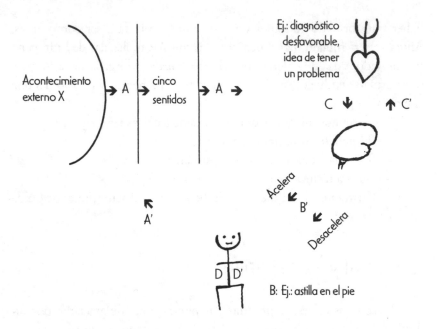

Cuatro entradas en el cerebro:
A: el mensaje viene del exterior real
B: el mensaje viene del interior real
C: el mensaje viene del interior imaginario (imagen inerte, magia de los nervios)
D: punto de acupuntura

Cuatro salidas del cerebro:
A': acción hacia el exterior por el cuerpo
B': orden que se para en el cuerpo, sin eficacia y con malestar (enfermedad, síntoma)
C': problema de comportamiento, estado *émaillé*, «constelado».
D': punto de acupuntura

Fig. 25: Las cuatro entradas, las cuatro salidas.

Si alguien ha ingerido de verdad una ostra en mal estado, vomita. Si cree haberla ingerido, o si digiere mal un hecho X o Y, el cerebro desencadena la solución, que puede ser vomitar, provocar ácido, un pólipo, un cáncer… dependiendo del sentimiento y la intensidad.

Como demuestran estos casos, el cerebro no puede diferenciar entre lo real y lo imaginario, lo virtual y lo simbólico. Los seres vivos lo incorporamos tranquilamente a nuestra vida cotidiana, ya que este fenómeno nos permite elegir el destino de las vacaciones, sólo de un modo imaginario. Si tenemos la idea de pasar las vacaciones en medio del bullicio urbano o entre la costa y la montaña, la imaginación nos llevará a hacer la elección que más nos conviene. Del mismo modo, antes de ir a un restaurante, es la imaginación la que nos permite escoger entre ir a comernos la cabeza de un perro hervida en un restaurante chino o una pizza en el restaurante de enfrente.

La biología no conoce, no puede hacer y no hace diferencias entre una información que proviene del interior del cuerpo (por ejemplo, las ostras en mal estado), una información que proviene del exterior o una que proviene del pensamiento, como durante los sueños.

Los animales sólo poseen las dos primeras opciones: viven sin conflicto únicamente en lo real y, por lo tanto, sólo deben buscar soluciones reales. **Los humanos podemos vivir los acontecimientos en sentido propio o en sentido figurado porque, mediante el sentimiento, podemos transponer todas las vivencias en la biología. Somos el único ser vivo que puede hacer conflictos de origen imaginario.**

El símbolo es el soporte mínimo para una información máxima. Si dibujo un corazón, si dibujo un pene, un tótem, una casa o una flor, esto resume muchas cosas. Si dibujo un billete o un cheque de un millón, eso también simboliza muchas cosas. Dado que nuestro cerebro es limitado (a cierto nivel), funciona por simbolismos. Una historia de amor en el cine, entre dos actores que en realidad no se quieren, puede arrancarnos las lágrimas más sentidas, igual que las del primer desengaño amoroso. Estamos en el plano virtual, un plano que fabrica el síntoma, que se hace cuerpo.

En el caso de los animales, la solución es muy concreta: huir, atacar, encontrar un territorio propio, camuflarse. En el caso de los humanos, la solución puede ser concreta o simbólica. **Igual que nos hace vibrar y nos hace sufrir, el síntoma también nos cura.**

El cerebro cae en la trampa del símbolo. Así pues, un acto simbólico representa engañar a la biología. Para la biología, el símbolo es la cosa. Una letra o una palabra pueden curar. En la famosa obra de Jules Romains, el doctor Knoch llega a poner enferma a la gente únicamente mediante las palabras. Dos borrachos, que habían ido a reírse de Knoch, salen de su consulta terriblemente angustiados, con una receta en la mano. La campesina se deja convencer de que sufre un mal pernicioso y acepta un tratamiento de choque.

KNOCH: Baje la cabeza. Respire. Tosa. ¿No se cayó nunca de una escalera cuando era pequeña?

LA SEÑORA: No lo recuerdo.

KNOCH: ¿No le duele aquí, por la noche, como si tuviera agujetas?

LA SEÑORA: Sí, a veces.

KNOCH: Intente recordar. Tenía que ser una escalera muy grande.

LA SEÑORA: Es posible.

KNOCH: Era una escalera de unos tres metros y medio, apoyada sobre una pared. Cayó de espaldas, sobre la cadera izquierda... ¿No se da cuenta?

LA SEÑORA: No.

KNOCH: Mejor. ¿Tiene ganas de curarse o no?

LA SEÑORA: Sí.

KNOCH: Debo avisarla de que será largo y costoso…

LA SEÑORA: ¿Por qué?

KNOCH: Porque no se puede curar en cinco minutos algo que sufrimos desde hace cuarenta años.

LA SEÑORA: ¿Desde hace cuarenta años?

KNOCH: Sí, desde que cayó de la escalera.

LA SEÑORA: ¡Qué mala suerte haber caído de esa escalera!

El tiempo

Para la biología, el tiempo no existe. Sólo existe un tiempo, y es el presente.

Estoy en casa, muy bien, y recibo una carta del propietario donde me anuncia que pondrá la casa en venta dentro de dos años. Me siento triste. Ya me veo fuera. El futuro no existe; ya estoy metido de lleno en la emoción. Me anuncian que tengo una enfermedad muy grave y ya me veo muerto.

Metáfora

Dos vecinos, en dos parcelas contiguas, se ocupan cada uno de sus hijos respectivos. Uno está regañando a su hijo porque no hace los deberes. El otro se divierte con su hijo, pero le encuentra un poco cansado. Cuando pasa el cartero, les entrega un sobre a cada uno. Al primero le da una carta que dice: «Ha ganado usted diez millones de francos en la lotería». En ese momento, ve la solución a todos sus problemas. Ya no tiene que molestar más a su hijo, ahora podrá ocuparse dignamente de su pobre madre, etc. La carta del segundo vecino le anuncia que, después de los últimos análisis, a su hijo le han detectado una leucemia. Este hombre ya no ve a su hijo como el niño que está jugando con él, sino que comprende por qué parecía cansado y se culpabiliza de haber sido duro con él en ocasiones. No está en el presente; está en el futuro y en una relectura del pasado.

El futuro no existe, porque la emoción se vive en el presente. El pasado tampoco existe, pero el tiempo se fija en el momento del choc. Alguien que le tiene fobia a los ascensores, cuando se encuentra delante de uno, no ve el ascensor, porque no está en el presente, sino en el recuerdo de un incidente que sufrió cuando era pequeño con su madre, o incluso mientras estaba en su vientre todavía.

Cuando escucho que mi jefe me grita, no estoy en el presente: mi biología está en contacto con el pasado, un pasado desagradable donde la voz autoritaria de mi padre me aterrorizaba. Si una compañera del trabajo me habla con voz dulce y suave, estoy en el pasado, en contacto con la voz de mi madre que me cantaba mientras me dormía. Para la biología, el tiempo no existe. Los recuerdos, al igual que los proyectos, emocionalmente pertenecen al presente.

Conflicto de diagnóstico

«Nada de fiebre, nada de dolores, nada de cansancio... tiene todos los síntomas para que le detecten un cáncer de mama. Pensar que no tiene nada no quiere decir que no tenga nada.»
Publicidad de la Liga contra el cáncer

«Cuando no me porto bien, mi madre no me da de comer», dijo un niño de la guardería. Ese comentario inquietó a una de las madres, que le preguntó si le pasaba muy a menudo. «Por el momento, todavía nunca», respondió el niño.

Las enfermedades psicoiatrógenas aparecen a partir de un choc que conocemos como el conflicto de diagnóstico, porque para el enfermo el diagnóstico no existe: es un pronóstico.

Un médico le había dicho a una mujer, que más tarde acudió a mi consulta: «Tiene un trofoblastoma y un corioepitelioma». Para esa valiente mujer, que era ayudante de cocinero en un pequeño restaurante, aquello no sonaba a comida así que se fue a la biblioteca municipal, buscó en libros de medicina y descubrió que era una forma de cáncer de placenta, que suele hacer metástasis, con un pronóstico muy grave, y para el que había escasos tratamientos. En ese momento, la mujer se vio muerta.

Esta situación se crea porque el tiempo no existe y porque le damos crédito, le damos un significado particular a una palabra. Además, en su caso, no había solución. Esta mujer se creó un conflicto de diagnóstico al experimentar el miedo a morir. Ese miedo provocó un cáncer de pulmón, al que llamaron metástasis. Los dos sanaron de manera maravillosa.

El conflicto de diagnóstico de una enfermedad es la relación que uno establece entre un síntoma que sufre y un plazo de tiempo, mórbido o mortal. Establecemos esta relación como consecuencia de nuestras creencias, la confianza que tenemos en el médico, la prensa, los libros, etc. Asociamos el síntoma a un pronóstico sugerido. El conflicto de diagnóstico es un choc brutal, la mayor parte del tiempo camuflado en la forma de miedo a la muerte o a la enfermedad (y a todo lo que está relacionado con ella: tratamientos, pruebas, hospitalizaciones, etc.). Este conflicto, debido al miedo a la muerte, suele afectar a los pulmones, pero también a algunos tejidos protectores de órganos vitales, como la pleura (que protege los pulmones), el peritoneo (el vientre), el pericardio (el corazón) o las meninges (el cerebro). La función biológica de estos órganos es la protección y el sentimiento es el miedo a que los órganos vitales sean atacados. Para protegerlos, la biología reforzará y ensanchará la protección, lo que provocará mesoteliomas, pequeños tumores.

Casos clínicos

Un día, un médico le enseñó a un paciente la radiografía de sus pulmones en el negatoscopio, y con el dedo le señaló un cáncer. Inmediatamente, este hombre empezó a sufrir por su tórax. Reforzó la protección para evitar el ataque cancerígeno y, varias semanas más tarde, le diagnosticaron una metástasis cancerígena en la pleura. Sin embargo, tenía un cáncer en el pulmón derecho y un cáncer en la pleura izquierda. El hombre no sabía que, en el negatoscopio, la imagen está invertida. ¡Sencillamente se había equivocado de lado!

A los veinte años, el señor X quería ser contable. Como su padre sufría una parálisis evolutiva, la enfermedad de Charcot, el médico le dijo: «Hazte enfermero, así podrás cuidar de tu padre más adelante, porque se irá degenerando». El futuro se convirtió en presente, accedió y se hizo enfermero. Veinte años después, seguía siendo enfermero y su padre estaba la mar de bien…

Entre tanto, se casó pero, después de unos años, se divorció y aceptó pasarle tres mil francos mensuales a su ex mujer. Su conflicto era que tenía ganas de dejar a esa mujer pero, ¿dónde podía ir? Estaba metido en el plano virtual, porque ya no vivía con ella. Era un hombre programado para este tipo de conflictos, porque había querido ir en una dirección profesional y acabó yendo en otra. Por lo tanto, el señor X tenía dos conflictos motores: nunca iba en la dirección que quería e iba hacia donde no quería. Empezó a tener problemas en las pantorrillas, que de vez en cuando se le paralizaban, porque el cerebro daba órdenes contrarias: «ve en esta dirección», y «no vayas en esta dirección».

A los cuarenta años, su padre le dijo que fuera a ver a un neurólogo. No quería ir pero, una vez más, accedió. El neurólogo descubrió que sufría de un retraso en la respuesta neurológica. Le dijo que era bastante normal pero que, dado que su padre sufría la enfermedad de Charcot, él también la sufriría. El señor X le respondió que él no tenía los síntomas, a lo cual el neurólogo le replicó que ya le llegarían, que las formas son distintas.

Entonces, el señor X decidió empezar a hacer deporte. Pero el médico, bastante torpe, le dijo que lo dejara porque, según él, eso sólo aceleraría los síntomas. En consecuencia, el señor X se desvalorizó por no poder hacer deporte. Una desvalorización relacionada con el esfuerzo siempre afecta a los músculos. Se le empezaron a adelgazar las espinillas. Entonces, el médico le dijo que asistiera a una reunión de enfermos afectados por la enfermedad de Charcot. No quería ir pero, como era habitual en él, acabó yendo. En una sala enorme, había decenas de enfermos sentados en butacas y en avanzado estado de degradación. El señor X se empezó a encontrar mal: el tiempo no existe, ya está como ellos, paralizado. Al salir de allí, empezó a tener dificultades para caminar, para llegar al coche y la enfermedad se agravó en poco tiempo.

Desgraciadamente, esta historia es un ejemplo típico de conflicto de diagnóstico que, de manera inconsciente, médicos torpes y medios de comunicación inexpertos inculcan a hombres y mujeres.

Un hombre se suicidó porque creía que tenía cáncer. Después de unas pruebas, le preguntó al médico: «¿Tengo cáncer? Dígamelo». El médico, poco específico, le dijo que no se lo podía confirmar. El hombre estaba muy convencido de que tenía cáncer cuando, en realidad, no era cierto. La situación le resultó tan insoportable que acabó suicidándose.

Durante la terapia (PNL, hipnosis, etc.), uno puede tener acceso inmediato al pasado, porque el tiempo no existe. Las personas que recibo en mi consulta presentan un comportamiento que ya no es adaptado, pero que una vez sí lo fue, cuando estaban... en el vientre de su madre, en el primer día de clase, en medio de una paliza de su padre, etc. Esta estructura es muy frecuente. La gente acude a la consulta y tiene, a lo mejor, cincuenta años, pero yo me encuentro delante a un niño de cuatro años, de 12 años, a un joven de 25 años... El tiempo se para en el momento del choc.

Una metáfora que utilizamos: «la guerra ha terminado pero no lo sabemos», es además la historia real de una mujer, Zejna, a quien encontraron en un bosque de Bosnia donde se escondía desde hacía dos años, sin encender un fuego para no hacer humo y comiendo raíces y pequeños animales crudos. Lo único que no sabía era que la guerra había terminado. Nos encontramos ante un comportamiento de supervivencia, genial en tiempos de guerra, pero sin sentido cuando ésta ha terminado.

Aunque el hecho sucediera hace veinte años, siempre nos podemos curar de lo que nos provocó. Como dice Alain Moenaert: «Nunca es demasiado tarde para tener una infancia feliz». Del mismo modo, en cuanto al futuro, para ayudar a alguien a curarse, hay que ayudarle a construirse un futuro atractivo, positivo, porque ese futuro que vivirá en él es el que crea la emoción.

Conflicto por identificación

«Tú te pones mi camisa, yo me pongo tus collares.
Te duelen mis riñones y a mí, tus pies.
Tú pasas mis noches en blanco y yo sufro tu insomnio.
No sé dónde empiezas, y tú no sabes dónde acabo yo.
Tienes cicatrices allí donde me hirieron.
Tienes mis inquietudes y yo, tus ilusiones…»

G. MOUSTAKI

Igual que el tiempo no existe, podemos decir con bastante certeza que, para la biología, el otro no existe. Y esto provoca los conflictos por identificación.

Madame de Sévigné tenía una hija con una fuerte bronquitis y le escribió: «Hija mía, me duele tu pecho».

Cuando una madre le dice a su hijo: «Ponte el jersey» y piensa en ella misma: («Tengo frío»), o le dice: «Cómete toda la sopa» y piensa: «A tu edad, yo pasé hambre», manifiesta una identificación con el otro, no hace ninguna distinción entre su hijo y ella, no separa sus propias necesidades de las de su hijo, su mapa del mundo del de su hijo.

En los casos de conflicto por identificación, para la biología el sujeto no existe: lo que cuenta es la emoción pura. Para la psicología, el otro existe, pero el enfermo no está identificado con él, ni identificado consigo mismo: está identificado con la calidad de la relación.

Ejemplos

— Un hombre recibió una llamada del director del campamento de verano donde estaba su hijo; el director le dijo que hacía dos días que su hijo estaba perdido, junto con otros niños, en el bosque. El hombre salió hacia el campamento de inmediato, con el miedo en el cuerpo porque su hijo estuviera muerto y, acto seguido, le apareció un tumor en los pulmones, cuya función es atrapar más oxígeno, buscar retener la vida lo máximo posible. Efectivamente, la vida siempre se traduce en términos de oxígeno: el primer o el último suspiro. Este hombre se identificó por completo con la necesidad de su hijo de retener la vida.

— Una mujer tenía la enfermedad de Parkinson. Una de sus hijas se casó con un británico pero, como este hombre no encontraba trabajo en Francia, decidió regresar a Inglaterra. Por un lado, ella los animaba a volver pero, al mismo tiempo, quería retenerlos con ella porque adoraba a su hija y a sus nietos. Le hubiera gustado que se fueran y que se quedaran. Y como, evidentemente, no podía influir en las piernas de los demás, influyó en las suyas, porque la emoción que vivía en ella significaba: «Me gustaría que no hubiera movimiento, que no hubiera desplazamientos». Se trataba de un conflicto de movimiento contrariado que provocó un Parkinson: problemas de indecisión, querer y no poder. Le temblaban las piernas, con el matiz añadido y propio de la enfermedad de Parkinson de no poder terminar las cosas, de no llegar al final.

— Un niño nació ciego. A los pocos meses, los padres se plantearon una operación. Acudieron con el niño a mi consulta. Al parecer, la madre tuvo que ocultar su embarazo, porque le daba vergüenza. Lo que ella vivió, emocionalmente, era esa urgencia de no ver, no quería que los demás vieran que estaba embarazada. La traducción biológica de este conflicto era que ver = peligro; el niño lo había traducido negando esa función biológica, sus ojos no funcionaban. Durante la terapia, la madre tomó conciencia de eso, se lo dijo muy emocionada a su hijo, que se curó en un periodo de tiempo muy breve y sin necesidad de intervención quirúrgica.

— A un hombre muy rico le diagnosticaron un cáncer de hígado. En terapia le dijeron que había debido experimentar un increíble miedo a carecer de dinero o de comida. En un primer momento, el hombre se echó a reír (cortina de humo). Pero más tarde se acordó, con lágrimas en los ojos, que hacía un año que había ido de viaje a la India y allí había cruzado la mirada con la de una niña pobre. En un segundo, pudo sentir en lo más profundo de su ser qué era la pobreza. En aquel instante se identificó por completo con aquella niña y sintió en su piel la sensación de no tener nada.

Consecuencias terapéuticas

En los casos de conflicto por identificación, puede ser fundamental preguntarse por qué la persona se identifica de esa manera con otra. ¿Qué hace que un individuo se reconozca en otro? Como si no se bastara consigo mismo. Quizás, el otro es el revelador de un conflicto no solucionado o de un antiguo sufrimiento familiar. La persona puede estar vacía de ella misma y desarrollar lazos afectivos muy fuertes.

Lo biológico no es psicológico

«Todos los conflictos biológicos son conflictos arcaicos que afectan a humanos y a animales por igual. Antaño, solíamos pensar que los únicos conflictos importantes eran los psicológicos. Y aquello era un error. Los fenómenos de reequilibrio biológico, choc, curación, etc., se producen tanto en humanos como en animales. El enunciado de la teoría de los conflictos tiene en cuenta que esos conflictos deben ser comunes al reino animal y a los humanos.»

DR. HAMER

El universo es ilimitado. Lo biológico es limitado. Lo psicológico es ilimitado. Cuando observamos un amplio paisaje, casi ilimitado, nos referimos a él con palabras limitadas. La fotografía que podamos tomar en ese momento está limitada al enfoque y a una cierta paleta de colores. Nos vemos obligados a amputar la experiencia.

Todo lo que podamos vivir es ilimitado pero, para poder acceder a la conciencia, tiene que pasar, obligatoriamente, por el filtro de los cinco sentidos, que tienen sus propios límites químicos y físicos. También tenemos límites culturales, que se nos transmiten por la educación, y límites cognitivos del cerebro, que sólo puede manejar un número limitado de datos al mismo tiempo, y ésa es la explicación de los procesos de distorsión (selección, por ejemplo) de la información.

No sólo percibimos una parte de la realidad sino que, además, invertimos nuestro tiempo en reconstruirla en función de nuestros filtros, que son, en primer lugar, orgánicos, sensoriales y biológicos y, en segundo lugar, psicológicos y culturales (afectividad, valores, creencias).

El ser vivo, sumergido en un universo infinito e ilimitado, sólo tiene como referente las experiencias que se inscriben dentro de su ley biológica. Los perros, que no perciben el color rojo y que, por naturaleza, son présbitas, son incapaces de captar todos los matices de una puesta de sol o de un cuadro de Van Gogh.

Cualquier experiencia que vivimos, sea la que sea, entra en las casillas de nuestra realidad biológica, que son limitadas. Pero en nuestro espíritu se producen diferentes asociaciones entre los distintos colores, sonidos, relieves, volúmenes, evocaciones... Los sentimientos, igual que los colores, se pueden añadir, mezclar, combinar entre ellos y crear emociones en cantidades ilimitadas.

Si me roban el coche azul, en mi biología no existe una casilla correspondiente a coche azul robado. Sin embargo, es una situación que provoca una emoción, que se vive y se siente, en referencia a una realidad biológica. Igual que la bola de la ruleta tiene que caer en una casilla, nosotros también tenemos un número de casillas biológicas limitado y fijo. Para que un acto pueda ser consciente, tiene que entrar en una de las casillas de nuestra realidad fundamental, que es biológica. Así pues, un acontecimiento siempre encaja, desde el principio, en una casilla preexistente de nuestra biología que, a partir de entonces, estimula una emoción particular, una zona del cerebro y un órgano.

El exterior es INFINITO Ilimitado	La puertas de entrada FINITAS Limitadas	Representación interior INFINITA Ilimitada
↓	↓	↓
Experiencia real «X» — ostra en mal estado — quemadura de sol Palabra «Y»	— Los cinco sentidos — El sistema nervioso — Los sentimientos biológicos Transponen «X» e «Y» dentro de los límites de mi realidad biológica, añadiéndoles elementos: selección, omisión; o inventando elementos nuevos: distorsión, generalización.	Los múltiples sentimientos se añaden y se combinan entre ellos para formar un nuevo todo, un mundo interior que nosotros interpretamos como exterior. Es como un juego que se desmonta y se vuelve a montar, aunque de otra manera, dependiendo de los límites de cada uno, y cada uno en su terreno (cuerpo, espíritu, trabajo, etc.).

Fig. 26: Del sentimiento limitado ilimitado.

Un pez no puede tener miedo de ahogarse; un ser humano no puede sufrir un conflicto por no saber volar. Puede tener envidia de los pájaros, soñar con volar, pero nunca desarrollará un conflicto sobre eso.

Por todo esto, decimos que los conflictos son biológicos, que están unidos a nuestra realidad biológica.

Una vez inscritos en la biología, los sentimientos son como los colores de una paleta: pueden mezclarse entre ellos y crear algo ilimitado, muy matizado y personal. En nuestro interior, la emoción sutil y cambiante es una recreación del mundo exterior: un mundo nuevo, único para cada ser humano, a cada instante, y que, al final, es la suma, *el émaillage*, la «constelación», la mezcla de todos los sentimientos biológicos. Recreamos un mundo que nada tiene que ver con el mundo real, objetivo, exterior; es nuestra visión del mundo, nuestro mapa del mundo, y aunque lo tomemos a veces como el mundo exterior, sólo es una percepción.

Tenemos que partir de lo físico, lo biológico, para ir hacia lo psicológico, porque lo biológico es anterior. Estamos, nacemos, en una realidad biológica y, a partir de ahí, viene lo psicológico.

En realidad, existe una herida narcisista para el orgullo humano: siempre vamos a parar a conflictos muy arcaicos, de territorio, alimentación o reproducción; mientras creemos de buena gana que tenemos problemas sentimentales, espirituales o intelectuales.

Freud se refería a tres heridas narcisistas: con Galileo, la Tierra dejó de ser el centro del mundo; con Darwin, el hombre pasó de ser el centro de la creación a ser el producto de la evolución; y con Freud y el descubrimiento del inconsciente, el Yo ya no es dueño de sí mismo. Hoy, podemos añadir una cuarta herida: el ser humano viene predeterminado por su realidad biológica, permanece anclado a su fundamento biológico. Permanece a ras del suelo. El hombre está dentro de esta realidad, mineral, animal, humana y espiritual al mismo tiempo. Para sobrevivir está obligado a tener en cuenta su realidad básica. Tiene que alimentarse y beber y, como cualquier animal, necesita un territorio y reproducirse. La verdad es que el ser humano es animal, vegetal y mineral. Pero si no respeta esta realidad, este fundamento, si el animal que lleva dentro no puede vivir, morirá. Es el sentido de la pirámide de las necesidades de Maslow que hemos mostrado al principio del libro.

— El animal necesita comer, reproducirse.
— El ser humano necesita alimentarse y mantener relaciones sexuales.
— Jesús compartió el pan y el vino; y pidió a sus fieles que se amaran y predicaran su palabra por el mundo entero.

Siempre hablamos de la misma realidad, aunque a niveles distintos. En el mundo espiritual, el hombre ya no vive más gracias a los conflictos, porque está en la inmediatez del presente.

5. Los conflictos

«El blanco sensible.»

Abordaremos distintas formas de conflictos. Ya hemos visto que un choc, que sitúa a la persona en situación de conflicto activo, desencadena una enfermedad. Dependiendo del sentimiento personal de quien sufre el choc, habrá un contenido conflictivo particular que podrá acarrear, en un caso, un conflicto de desvalorización; en otro caso, un conflicto de miedo; y en otro caso, un conflicto arcaico de «suciedad»; etc.

Ahora vamos a abordar las familias de conflictos. Se pueden agrupar en grandes familias: conflictos programados, conflictos desencadenantes, conflictos de diagnóstico, conflictos de conjunción, conflictos cegadores, conflictos en equilibrio, conflictos por identificación, conflictos recidivantes, conflictos abocados al fracaso o conflictos autoprogramados.

Conflictos programados

Son los más habituales durante la infancia, desde el momento de la concepción hasta la adolescencia, cuando el individuo experimenta nuevas maneras de sentir.

Por ejemplo, el día de la vuelta al cole, se separa de la madre por primera vez, algo que puede vivir como un abandono, una desvalorización, un castigo… Está en contacto con una nueva experiencia, un nuevo sentimiento y puede vivir el conflicto durante varias horas o varios días. Normalmente, no dura lo suficiente como para desencadenar un síntoma. Este conflicto sólo conseguirá que la persona en cuestión sea más frágil, más sensible frente a este tipo de sentimientos, sea cual sea el tema o la situación. Así es cómo, poco a poco, se va forjando el terreno. El individuo imprime, por primera vez en su historia personal, una zona de su psiquismo, su cerebro, su cuerpo y su energética. Y eso se memoriza a estos cuatro niveles.

Los niños claramente están en el aprendizaje, en lo que conocemos como ventanas de impresión. Descubren el mundo, un universo al que deben dar sentido. La primera experiencia, el primer aprendizaje en un terreno marca y determina mucho.

Konrad Lorenz desarrolló esta noción de ventanas de impresión, algo que descubrió durante sus trabajos de etología. La cría de ganso considera su madre lo primero que ve al salir del huevo. Si ve un par de botas, las seguirá, incluso antes que a su madre. Si ve una pelota de tenis, la seguirá y, de mayor, intentará copular con…

En el mundo animal, también conocemos el caso de un elefante hembra que creía que era un búfalo, porque una manada de estos animales la había adoptado cuando todavía era pequeña. De mayor, intentaba copular con los búfalos machos, desplazar a las otras hembras, etc. La consecuencia fue que los machos se vieron obligados a montar a las hembras durante la noche, algo totalmente anormal en esta especie.

La ventana de impresión es determinante, aunque de manera completamente arbitraria y, por lo tanto, inútil.

El niño pasa por varias ventanas de impresión, de aprendizaje, relacionadas con los diferentes estadios de su desarrollo psicobiológico (*véase* pág. 133). Cuando un acontecimiento se presenta dentro de una de estas ventanas, ya sea en el momento de la crisis de Edipo, del aprendizaje de la palabra o cualquier otro, adquiere una importancia desproporcionada que será determinante para toda la vida. Incluso si los padres han hecho una observación y, al cabo de un cuarto de hora, la han olvidado, el niño puede sentirse determinado, herido, desvalorizado, menospreciado por dicha observación, y eso tendrá un gran impacto en toda su vida. Junto al acontecimiento y al sentido que le viene atribuido, se instala una creencia, alrededor de la cual se construirá la personalidad. Hay que decir que, normalmente, este acontecimiento es real (no virtual o imaginario).

Cuanto antes llegue este acontecimiento en la vida, los conflictos programados aparecerán más en lo real, y serán más determinantes.

El conflicto programado puede ser silencioso, como una mina antipersona escondida, oculta durante mucho tiempo en el inconsciente. En ese momento, la biología no produce enfermedades ni síntomas. En cambio, sí será perceptible en el pulso chino, en el iris. Por ejemplo, un buen iridólogo detectará una debilidad particular de tal o cuál órgano, correspondiente a un tipo particular de conflicto, mientras el paciente no se queja de ese órgano.

Tres casos clínicos

— Una niña de 12 años, que vivía en una localidad de la costa, le pidió a su madre si la dejaba ir a la playa a jugar con sus amigas. La madre le dijo: «Claro, si no me quieres». La niña no sabía qué hacer. Quería ir a la playa pero, si iba, se sentiría culpable de no querer lo suficiente a su madre y, en ese momento, para ella la vida perdió el sentido. Y si se quedaba en casa, no podría jugar con sus amigas y la vida sería aburrida y sin sentido. Se trataba de un conflicto programado, que en ese momento no desencadenó ninguna enfermedad, pero que preparó el terreno, lo fragilizó y convirtió a esa niña en un ser particularmente sensible y vulnerable a los conflictos motores.

— Un niño de ocho años estaba en clase. La profesora lo hizo salir a la pizarra y lo ridiculizó delante de todos. El niño no pudo dormir durante varios días, después dejó de pensar en ello y todo pareció volver a estar en orden…

— Mientras veía *Veinte mil leguas de viaje submarino*, un niño se quedó muy impresionado, incluso traumatizado, por la escena en la que el pulpo gigante ataca y hace naufragar a los marineros del *Nautilus*. Un poco más tarde, este niño, que vivía en el campo y adoraba los animales, presenció el nacimiento de un borriquillo. Pero la asna parió cerca de un río y la cría resbaló y se ahogó. El niño fue el encargado de transportar el cadáver del animal.

Estos dos chocs se inscribieron en el mismo raíl, pero no desencadenaron ningún síntoma físico. Es como cuando, en un camino, empieza a aparecer una rodada. Los carros que pasen por ese camino, tendrán tendencia a seguir esa rodada. Es vital encontrar ese primer acontecimiento, que no provoca ninguna enfermedad, pero que prepara el terreno para las que vendrán. Mediante un interrogatorio intenso, intentaremos recopilar todos los detalles, todas las circunstancias de lugar, tiempo, de ese primer acontecimiento. Porque más tarde, cuando el individuo siga esa rodada, reaparecerá el proceso de enfermedad ligado al sentimiento del primer raíl.

El paciente conoce perfectamente los orígenes de su mal, pero ignora que lo sabe. Es un conocimiento inconsciente. Esas minas antipersona olvidadas en el inconsciente pueden explotar meses o años más tarde si aparece un acontecimiento y las activa, un acontecimiento que nacerá del mismo tipo de sentimiento.

Conflictos desencadenantes

— La niña que quería ir a la playa creció, se casó y tuvo hijos. A los 40 años, mientras estaba en su casa, una casa que ella misma había arreglado y de la que estaba enamorada, a su marido se le cayó una carta de amor de su amante. Aquello fue el choc. El sentimiento no era de traición, ni de desvalorización, ni de frustración sexual. Aquel acontecimiento desencadenó una importante descarga de adrenalina y de cortisona, que la devolvió inmediatamente al acontecimiento anterior de la misma intensidad. Lo vivió en términos de conflicto: «Quiero irme, pero no puedo irme». Es increíble, pero es exactamente la misma coloración emocional que el acontecimiento de referencia. En ese mismo instante, desarrolló una esclerosis en placas en las piernas. En los días siguientes, sufrió una parálisis de las pantorrillas.

Este segundo conflicto se llama conflicto desencadenante. Para explicarlo con una metáfora, podríamos comparar el conflicto programado con un programa informático. Mientras no está abierto, sigue ahí, aunque inactivo. El conflicto desencadenante abre el programa, lo pone en funcionamiento.

— En el segundo caso, cuando tenía 16 años, el niño al que la profesora había ridiculizado delante de toda la clase, empezó a hacer mucho deporte. También se duchaba dos veces al día, una por la mañana y otra por la noche. Le salió una alergia al agua en la cara. Pero sólo al agua de la ciudad y sólo en la cara. Cuando se duchaba en la montaña, no pasaba nada. Al final, descubrimos que era una alergia a la cal del agua. Ese exceso de cal lo devolvía, a los 16 años, al conflicto con la profesora, delante de la pizarra, en un ambiente cargado de tiza. Más tarde, al entrar en contacto con el exceso de cal, apareció la alergia. Lo interesante del caso es que este chico no había sufrido otro conflicto hasta los 16 años. Pero es un ejemplo que nos permite entender perfectamente el funcionamiento de la biología: en este caso, lo que desencadena la alergia es un elemento químico (el contacto con la cal) y no un choc psicológico. El mero hecho de tomar conciencia del primer acontecimiento y de expresar la emoción unida a él hizo que la alergia desapareciera.

Como ya hemos dicho, un choc biológico puede ser comer una ostra en mal estado o escuchar un insulto. En ambos casos, en el lenguaje común, diremos que no lo podemos digerir.

— En cuanto al chico del borriquillo, veinte años después, mientras hacía *windsurf*, desarrolló una hipertensión arterial. En alta mar, de repente sufrió un ataque de angustia, de miedo fóbico al agua, de ahogarse (algunas hipertensiones arteriales están relacionadas con los riñones, con los conflictos relacionados con los líquidos).

La terapia se interesó, al mismo tiempo, por el conflicto desencadenante y por el conflicto programado. Si sólo trabajamos con el desencadenante, la persona no se cura en profundidad. Hay que volver al primer aprendizaje, para que la persona lo reviva con nuevos recursos que quizás no tenía en esa época. Gracias a determinadas herramientas psicoterapéuticas, la persona podrá acceder a los recursos conscientes e inconscientes que el aprendizaje de la vida le ha aportado desde entonces. Repetimos que, para el inconsciente, el tiempo no existe y que, por lo tanto, tiene la capacidad de transferir aprendizajes y recursos a otras experiencias anteriores. La niña pequeña herida sigue allí, viva y presente en la mujer de 40 años que recibo en mi consulta. Una parte de ella se ha quedado en los 12 años, no ha avanzado. Pero, la otra parte tiene cuarenta años de experiencia, de aprendizajes positivos y útiles. Algunas terapias permiten poner en contacto un sufrimiento precoz con un aprendizaje tardío. En este caso en concreto, se trataba de conferir confianza en sí misma a la niña pequeña para que pudiera desenredar los dobles mensajes de su madre y le dijera: «Mamá, entiendo lo que quieres decir, pero yo quiero ir a la playa, y sé que eso no cambia en nada el amor que siento por ti» o «Te quiero tanto que me siento feliz de quedarme contigo; ya iré a jugar otro día». Lo importante es salir de la doble coacción.

En terapia, también se puede realizar una nueva orientación de sentido: atribuir otro sentido al acontecimiento y, por consiguiente, cargarlo con otra emoción. Lo importante es que el paciente pueda pasar a la tercera fase, lo que hará que no vuelva a vivir ese tipo de acontecimientos de forma dramática.

En algunos casos, puede suceder que un solo acontecimiento, a la edad que sea, sea lo suficientemente intenso, duradero e inhibidor como para desencadenar la enfermedad. En este caso, hablamos de un conflicto programado-desencadenante.

Metáfora del actor de teatro

ACTOR DE TEATRO

Aquí estamos, cada uno con su escena, solos, frente a otros actores de teatro, cada uno con su escena. Unos piensan que la obra es buena, de buen gusto. A otros les parece lamentable, a otros incluso horrible, vulgar… En pocas palabras, satisfactoria o insatisfactoria.

Y pensar que los hay que llevan sesenta años representando la misma obra, ¡y se quejan! Les gustaría interpretar otro papel, otro texto, otro guión. No hay nada que hacer. Siempre hay que volver a comenzar:

—Nunca consigo acabar lo que empiezo —dice uno.

—No tengo suerte, todo el mundo me rechaza —afirma otro.

—Nunca he podido llevar encima una moneda más de un cuarto de hora —se queja el tercero.

—En cuanto me ven, las mujeres se ríen y parece que se burlen de mí.

—Basta para que me vaya de vacaciones a algún sitio para que empiece a llover.

—(Complétalo con tu canción favorita.)

Lo que estos actores ignoran es que son los guionistas de su propia obra. Sí, por increíble que parezca: ellos, y nadie más que ellos, se dan las órdenes: «Quéjate, llora incluso cuando todo va bien, porque es una manera de hacer que te vean y te mimen, arremete contra el otro antes de que te agredan a ti».

Y lo hemos olvidado. Completamente. Pero, créeme, ya está todo inventado: el texto, la manera de decirlo, las entradas, las salidas, la postura, los silencios…

Tengo un amigo, también actor, al que llamamos Popeye. Todo iría bien, pero resulta que está enamorado de una mujer complicada. Intenta seducirla, en vano. Entonces se deprime y tiene que caer muy bajo para poder recuperar la energía. Tengo otro amigo que se queja de que nunca acaba nada, jamás. Pero fue él quien, ya hace tiempo, escribió este guión. Su madre quiso abortar, pero al final no pudo. Y mucho mejor porque, si no, él no estaría vivo. Por lo tanto, para él, acabar algo es equivalente a morir. Pero de esto no se acuerda. Entonces, un buen día decidió no terminar nada, para no morir.

Cuando miramos una obra de teatro, ¿vemos al director? ¿Y los ensayos? Todo esto se ha hecho invisible, inconsciente, pero está muy presente.

El inconsciente pone en escena; el consciente se queja.

Una actriz quiere un hijo. Pero la directora, la inconsciente, ha elegido un libro escrito por su abuela: muere al dar a luz. Y el hijo escribe un guión en el que no hay que dar a luz, no hay que concebir, o simplemente abortar. Y todo para sobrevivir.

Tenemos un contrato con el guionista. Pero, por si no lo sabías, a veces los contratos se rompen, o se transforman.

No te pelees contigo mismo, con tu guionista interior. Intenta encontrar, con él, una buena historia, un guión agradable. Y todo el mundo será feliz.

Conflictos secundarios: metástasis psíquicas y el «efecto lupa»

Una persona sufre un pequeño conflicto porque alguien le ha hecho una pequeña jugarreta y empieza a tener diarrea. Poco después, uno de sus mejores amigos tiene problemas económicos. Entonces ella, por identificación, desarrolla un conflicto de miedo a las carencias y desarrolla un pequeño nódulo en el hígado que puede pasar desapercibido. Más tarde, sufre una pequeña desvalorización porque en el trabajo se ríen de ella: hace una descalcificación del hombro derecho. Nadie diría, y con razón, que la descalcificación es una metástasis del nódulo del hígado, ni que el nódulo en el hígado es una metástasis de la diarrea.

Entonces, ¿qué hace que una enfermedad pueda estar asociada con otra, como en los casos de metástasis? Se podrían presentar varios casos que responden a interpretaciones distintas. Un primer elemento de respuesta es que un único acontecimiento se puede vivir bajo varios sentimientos a la vez, descodificando así varios órganos.

Imaginemos que un hombre descubre que su mujer lo engaña: puede vivirlo como una desvalorización y como algo «sucio» a la vez, y puede desencadenar una patología ósea y una patología de colon. Ambas patologías, relacionadas con el mismo choc, evolucionarán al mismo ritmo: se agravarán o se curarán de forma simultánea, a medida que el acontecimiento en sí mismo se viva con estrés o con tranquilidad.

Otra posibilidad, en mi opinión la más frecuente, aparece cuando el drama, colosal, monstruoso, pone al paciente a unos niveles de estrés muy elevados. La persona se encuentra, durante semanas, con una cantidad importante de cortisol* en la sangre. Está en un estado de estrés biológico intenso. El cortisol es una sustancia que impide dormir y acentúa el estrés. Todos los conflictos que esta persona sufría hasta entonces, y que eran menores, cobran mayor importancia con este aumento de estrés.

Conozco a una persona que no soportaba a su suegra, que aparecía en su casa todos los domingos y se quedaba tres horas. Se trataba de un conflicto menor, apenas le provocaba un poco de acidez de estómago. Además, esta persona sufrió un conflicto en el trabajo. Pasó por una hipersimpaticotonía, y después por una hipercortisolemia, todo de manera biológica. Se le acentuó la sensibilidad, se volvió hipersensible y, cuando aparecía la suegra, reaccionaba de manera violenta. No podía soportarla, la rechazaba y desarrolló de inmediato una patología en el estómago.

Siguiendo la misma lógica, si administramos a alguien grandes dosis de cortisona, o de cafeína, o si le impedimos dormir, lo forzamos a estar muy estresado, y todas las pequeñas situaciones estresantes sufren un efecto lupa: se amplifican.

Otra posibilidad es a la inversa, aunque responde a la misma lógica. Si una persona ya sufre un conflicto importante y desarrolla una patología, si aparece otro conflicto, menor, se puede vivir como si fuera mayor. Aunque sea algo tan trivial como no encontrar las cosas o una raya en el coche, se puede llegar a vivir de manera insoportable y desencadenar, por ejemplo, odio, cólera o reacciones emocionales desproporcionadas respecto a la gravedad del acontecimiento. La hipercortisolemia, que provoca la hipersensibilidad en la persona, hace que los acontecimientos se amplifiquen.

Imaginemos una persona que, después de un importante conflicto de «suciedad», desarrolla un cáncer de colon. Varias semanas más tarde, su cuñado se declara en quiebra y tiene problemas económicos. De repente, y sin poder tomar aliento, esa persona lo vive de la forma más horrible: se va a morir de hambre, y desarrolla un cáncer de hígado (conflicto de carencias). Luego aparece otro problema: una humillación en el trabajo, y desarrolla un cáncer en los huesos (desvalorización). En su caso, hablaremos de metástasis del primer cáncer.

Y de ahí, la siguiente proposición: la metástasis es psíquica. Un conflicto importante hace que otro conflicto importante sea posible, y éste, a su vez, hace que sea posible un tercero... Todo liga con mucha facilidad. Cualquier frase dicha en mal momento por el jefe, el profesor, el médico, etc., puede amplificarse.

Los síntomas se tienen que considerar como el encuentro entre un choc y el terreno, que está formado por un sedimento profundo, que son la historia familiar, psicogenealógica y de un entorno social, familiar y natural (polución, alimentación, etc.). Los chocs pueden ser más o menos numerosos y la intensidad puede variar considerablemente. Si el choc es importante, pero actúa en un terreno sano, en un entorno positivo, provocará una patología menor. Un conflicto de deshonra, por ejemplo, puede provocar una verruga. Si se trata de un choc pequeño, que actúa en un mismo tipo de terreno, no provocará ninguna patología.

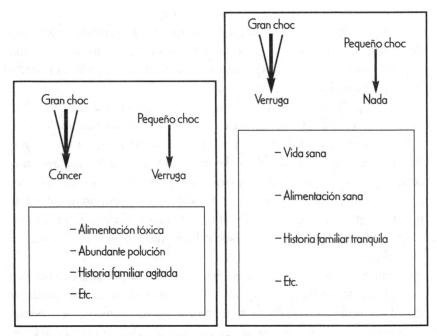

Fig. 27: El terreno.

Si, por el contrario, el terreno es débil, si la persona está en hipersimpaticotonía o en hipercortisolemia, un choc importante provocará una patología importante. Retomando el mismo ejemplo, un conflicto de deshonra importante desencadenará un cáncer de piel. Y un choc menor provocará una verruga.

Es interesante remarcar que un carcinoma no invade los órganos más cercanos. Alguien puede tener un cáncer de colon con una metástasis en el cerebro y no necesariamente en el recto, el intestino delgado o el peritoneo, que están al lado. Estas metástasis son estadísticas y no siguen ningún patrón; no son lógicas, a menos que uno tenga la curiosidad de interrogar a cada uno de los afectados acerca del sentimiento relacionado con cada órgano.

Estas observaciones me parecen muy importantes a nivel terapéutico. Nos llevan, una vez más, a insistir sobre las cualidades del médico de saber escuchar y tener tacto. Cuando estamos frente a alguien que presenta dos, tres o cuatro patologías es importante encontrar la historia de cada una. Cada síntoma empezó en un momento y en un lugar determinados.

Sin olvidar que los enfermos de cáncer muchas veces sufren el estrés de la familia, del entorno, de la angustiosa espera del resultado de las pruebas... Todo esto es una fuente de miedo y, por lo tanto, de conflictos.

En resumen, los factores que determinan la gravedad de una enfermedad son tres:

— **la intensidad del choc**
— **la duración del choc**
— **el terreno que recibe el choc**

Mi propuesta, fruto de tantos años de práctica profesional, es ver en la metástasis una multiplicación de los conflictos dramáticos. Ya no podemos luchar en todos los frentes, el cáncer se generaliza. A partir de un mismo conflicto, aunque esté solucionado, hay que desconfiar del síndrome del pulpo; es decir, una letanía de pequeños problemas que se sobreañaden y pueden hacer aparecer nuevas patologías.

Esto es una hipótesis de comprensión del hecho que la metástasis se localice más aquí que allí. ¿Por qué una mujer con cáncer de mama hace metástasis en los huesos, en el cerebro y en el hígado? Y, ¿por qué algunos cánceres hacen metástasis tan deprisa, otros lo hacen al cabo de mucho tiempo de la aparición del primer cáncer y otros nunca harán metástasis?

Caso clínico

Una mujer vivió un acontecimiento menor: durante una cena, en público, su marido se comportó, según ella, de forma desatenta. No era la primera vez, porque sucedía a menudo. Sin embargo, esta vez la mujer se sintió incomprendida por él, y desencadenó un cáncer en los conductos galactóforos del pecho. En aquel momento, era el mes de junio y esta mujer, que era profesora, tenía mucho trabajo. Se ocupaba mucho de los demás, apenas tenía tiempo para hacerse la comida y tenía muchas ganas de que alguien se ocupara de ella. Además, vivía un futuro profesional incierto, porque no sabía si podría seguir dando clases en el mismo colegio o si la trasladarían a otro centro. Todo esto formaba un entorno horroroso, pero no había ningún choc. Y en ese contexto ocurrió el acontecimiento, que no era nuevo ni extraordinario en sí mismo, pero que actuó en un terreno muy débil, frágil y sensible, y eso provocó un cáncer. Para combatirlo, siguió una serie de tratamientos que la debilitaron, aumentaron el estrés, la angustiaron… Tenía miedo del cáncer, miedo a morir. Este nuevo conflicto desencadenó una metástasis en los alvéolos pulmonares.

Consecuencias terapéuticas

Estas nociones hacén incapié en la importancia de trabajar en el terreno mediante el reposo, la alimentación y, sobre todo, lo que está relacionado con el sistema de creencias sanitarias del paciente (alopatía, homeopatía, acupuntura, osteopatía, etc.). En el medio ambiente, habrá que esforzarse en disminuir cualquier fuente de agresión que haga aumentar el estrés.

Conflictos abocados al fracaso

Se dice que algunos conflictos están abocados al fracaso: se trata de antiguos programas arcaicos que reaparecen y que corresponden al hecho de decirse que, realmente, no hay ninguna solución. Por lo tanto, volvemos a los recuerdos más antiguos. Se parece un poco a una persona que sufre una pérdida, ve que se ha quedado sola y quiere perpetuar la especie. Esta persona fabricará, en un testículo, en un ovario, o incluso fuera, un quiste dérmico con un diente, un hueso, pelos o cabello. Por así decirlo, esta persona se ha clonado a sí misma. Claro está que esta tentativa está abocada al fracaso, no funcionará, pero corresponde al programa ancestral de la ameba.

Otro conflicto abocado al fracaso aparece en las personas que se niegan a ver la realidad, que de alguna manera borran la realidad. Hacen una especie de neovascularización intraocular, es decir, repermeabilizan los vasos sanguíneos que había en el ojo en el momento de la vida intrauterina. Y lo hacen con la finalidad de volver a fabricarse los ojos y de volver a empezar la vida viendo otro mundo, porque no pueden ver el real, es demasiado cruel… En estos casos, hay un regreso al último espacio de comodidad, y éste puede ser la vida intrauterina. El equivalente a nivel psiquiátrico es el suicidio, porque las personas no quieren ir hacia la muerte, sino hacia la no-vida, para volver a empezar de cero, sin problemas, sin sufrimientos.

Lista de conflictos citados:
— Conflicto programado
— Conflicto desencadenante
— Conflicto de diagnóstico
— Conflicto de conjunción
— Conflicto de la cortina de humo, o cegador
— Conflicto de equilibrio
— Conflicto por identificación
— Conflicto abocado al fracaso
— Conflicto autoprogramado
— Conflicto reincidente
— Un conflicto se superpone a otro

6. El niño

Impregnación, impresión

Konrad Lorenz escribió, a propósito de sus investigaciones sobre los gansos recién salidos del huevo, que «la primera comunicación entre madre e hijo desencadena un proceso vital que no se puede repetir ni anular, y que consiste en impregnarse de la persona de la madre [...]. A pesar de que este diálogo entre humanos y gansos sólo se dé en contadas ocasiones, las impulsiones infantiles del ganso recién nacido siempre estarán ligadas al criador humano».[12]

Cuando los dos gansos machos criados por Konrad Lorenz crecieron, intentaron copular con él, porque era él quien había ejercido el papel de madre. Este fenómeno se conoce con el nombre de **impresión** (o impregnación).

La ventana de impresión es la primera vez, la primera experiencia que tenemos en un terreno, nuestra reacción ante lo desconocido, a lo nuevo. Cuando el niño sale del vientre materno, cuando se engancha al seno materno por primera vez, el primer día que va a la escuela o incluso el pri-

---

12. Konrad Lorenz, *L'année de l'oie cendrée*, Stock, París, 1978.

mer día que se fija en una chica, todo esto son ventanas de impresión, aprendizajes.

Estas ventanas de impresión se inscriben dentro de la biología. A menudo nos encontramos con los conflictos programados (de los que ya hemos hablado en el capítulo anterior), inscritos en una «realidad real» y no imaginaria: «Tengo que comer, tengo que protegerme, etc.».

Desde el momento de la concepción hasta la madurez, el ser vivo atraviesa varias ventanas de impresión, durante las cuales va progresivamente asentando su regla del Yo: ¿Qué sentido hay que dar a todas estas señales que no tienen sentido en sí mismas? ¿Qué comportamiento hay que tener para conseguir comida, seguridad? A partir del trato con los tutores, los padres (que no tienen que ser necesariamente los biológicos), el niño crea un modo relacional que mantendrá toda la vida. Se fija de manera indeleble en un modo, una forma de ser.

Durante la terapia, habrá que tener en cuenta esta realidad que, en sí misma, no es buena ni mala, sencillamente puede ser eficaz o no cuando se enfrenta a un nuevo contexto; por ejemplo, cuando el niño, ya adulto, sigue teniendo el mismo comportamiento.

1. **El niño tiene sus propios conflictos**, que son distintos a los de los adultos, porque tiene sensibilidad propia. Vive en una realidad distinta. Para él, lo que cuenta es, ante todo, alimentarse, estar seguro (contacto) y tener valor (ser querido): «Si no valgo nada, ¿para qué vivir? Si ir a la escuela no sirve de nada, ¿para qué ir?».

Pienso en un niño que era mal estudiante. Su padre no tenía trabajo, su madre era depresiva y a su hermano, que no había aprobado el bachillerato, lo habían despedido del trabajo y se levantaba cada día a mediodía… Este niño no le encontraba el sentido a levantarse a las siete de la mañana para ir a la escuela. Según él, no servía de nada, y es fácil comprender por qué era un mal estudiante. El niño sufre patologías que van unidas a sus necesidades fundamentales. Por eso, suele sufrir problemas epidérmicos (eczemas), digestivos u óseos (raquitismo). Son conflictos arcaicos, relacionados con la sensibilidad del niño y con lo que para él es importante, para su supervivencia, comodidad y evolución.

Para un hombre, lo que cuenta es, quizás, el éxito profesional, tener un territorio profesional y familiar. Teniendo como equivalente las arterias coronarias, el hombre puede sufrir infartos o anginas de pecho.

Para un hombre mayor lo que suele importar, en general, es la descendencia. Así pues, sufrirá patologías en los testículos y la próstata o, en el caso de la mujer, en la mucosa del útero.

Para una mujer joven, lo que cuenta es la salud de los hijos: sufrirá patologías en los pechos. En el caso de los niños es mucho más extraño pero, sin embargo, también puede suceder. Conozco el caso de una niña que sufrió una patología en el pecho izquierdo cuando un coche atropelló a su gato, al que adoraba y cuidaba como a un hijo. Le apareció un pequeño bulto que desapareció al poco tiempo.

Para no estar completamente perdido, a la deriva en el universo, el niño tiene la necesidad vital de estar en contacto con la madre y de tener puntos de referencia con el padre. Para crecer, necesita tener el permiso y el deseo de hacerlo.

La función de la madre es de contacto, de transmitir seguridad, afecto y aceptación al hijo. Los conflictos en este terreno provocarán problemas de piel y digestivos.

La función del padre (o tutor) es la de la palabra: la palabra que da las referencias, los valores y el sentido (sentido = significación y dirección) a su vida. En este terreno, los problemas afectarán, básicamente, a los huesos o al recto.

De este modo, la sensibilidad psico-bio-orgánica está relacionada con la edad (y con los valores personales, familiares, culturales y sociales).

2. El niño entra rápidamente en conflicto activo y sale de él igual de rápido. Por lo general, vive los conflictos de manera intensa. Cuando un niño sufre un conflicto de desvalorización en la escuela, se siente desvalorizado en todos los terrenos, sin hacer distinciones. Puede desarrollar una leucemia, una anemia o raquitismo. En cambio, en los adultos, el conflicto de desvalorización está relacionado con un terreno en concreto: hay desvalorizaciones afectivas, sexuales, profesionales, deportivas, intelectuales, etc. Además, hay matices en los sentimientos, en función de los cuales las patologías son distintas.

Después de un choc, normalmente nos encontramos con dos patrones de comportamiento:

— El niño desarrolla una hipersensibilidad, se interioriza y madura demasiado deprisa, con una inteligencia precoz aunque emocionalmente es inmaduro.

— El niño acusa un retraso en el desarrollo. Desarrolla lo que puede, a la espera pasiva de días mejores. El tiempo es fijo.

3. Para crecer, el niño debe atravesar etapas psicobiológicas. Esto significa que tiene que **guardar duelos**. Algunas enfermedades específicas de la infancia están relacionadas con conflictos muy particulares.

El nacimiento es un duelo, el duelo de la comodidad uterina con su calor, dulzura, relativa oscuridad y protección. Además, es un duelo que la madre también tiene que aceptar porque, si no lo hace, corre el riesgo de ponérselo mucho más difícil al hijo.

Más tarde, después de varios meses o años, llega el destete, la separación del seno materno. Otro duelo. Si el destete se vive de manera dramática o llega demasiado temprano, el niño vivirá tentativas de reparación ineficaces durante toda su vida. Por eso vemos a personas adultas obsesionadas con los pechos grandes.

Con la guardería o el colegio sucede lo mismo: llega el duelo de la madre que ha estado presente siempre hasta ahora. A veces, ella vuelve a trabajar o incluso vuelve a ser esposa...

Para algunos, el nacimiento de un hermano o una hermana supone la pérdida del estatus de hijo único o de hijo pequeño.

Hay fases obligatorias, aceptaciones obligatorias en las que el niño puede quedarse bloqueado, puede negar la evidencia, negarse a guardar duelo. Estas etapas psicobiológicas vuelven para dejar un mundo y entrar en el siguiente, para pasar de un estatus a otro. Si uno no acepta guardar duelo de lo que nunca tendrá, jamás podrá ir hacia nuevas experiencias.

4. Las enfermedades infantiles que afectan a la piel se corresponden con los conflictos de separación. Es el típico caso del eczema. El sarampión parece estar más específicamente ligado a la aceptación del destete.

— Para la escarlatina: aceptación del complejo de Edipo.

— La rubéola: aceptación de la sexualidad de los padres.

— El raquitismo: conflicto de carencia de tutores.

— Las paperas: incorporación en la familia.

— La otitis: conflicto de querer atrapar una palabra, una información.

— Las caries: prohibición de ser agresivo.

— Las anginas: querer atrapar algo que se puede escapar.

5. El recién nacido puede presentar patologías importantes, como leucemias, ictericias, porque, dentro del útero, el feto vive una doble vida.

En primer lugar, está en ósmosis con los sentimientos de la madre. Si entre la madre embarazada y su marido surge una discusión violenta, y la madre la vive en términos de cólera y rencor, el niño que lleva dentro puede sentirlo y descodificará el órgano correspondiente (las vías biliares).

En segundo lugar, el feto tiene identidad propia y puede tener miedo a los gritos, algo que le hará descodificar la laringe. Tiene dos percepciones sensoriales.

Por lo tanto, el nacimiento puede ser el momento hacia la curación: el niño se individualiza de los conflictos maternos. En el momento del nacimiento, el bebé suele presentar síntomas de curación, de reparación. Para seguir con el mismo ejemplo, la ictericia es un síntoma de curación del conflicto de la cólera.

Así pues, durante el embarazo puede producirse un choc. También hay que tener en cuenta la importancia de la historia familiar, de la psicogenealogía. El niño recibe una transmisión de los conflictos no solucionados de la historia familiar.

El embarazo

A riesgo de ser un poco abrupto, diría que el embarazo funciona como un tumor del útero, que entra directamente en la segunda fase de la enfermedad para no rechazar las células que le son extrañas. En efecto, hay

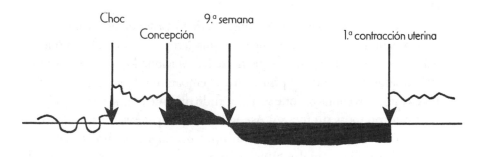

Fig. 28: Embarazo = vagotonía obligatoria.

un cuerpo extraño, una multiplicación de células extrañas, algo que al principio coloca al útero en conflicto activo. Sin embargo, el cuerpo tiene el reflejo natural de rechazar lo que le es extraño. Para neutralizar este fenómeno, el útero, y todo el cuerpo femenino, pasan a la segunda fase.

Este tumor natural, por lo tanto, se desarrolla en segunda fase, que empieza con la concepción y que llega al punto álgido a los tres meses.

Esto explica los edemas del embarazo porque, tal como hemos visto, cualquier edema o inflamación es señal de curación, de reparación. Los edemas cerebrales, que provocarán náuseas y vómitos, están relacionados con este pasaje biológico en parasimpaticonomía.

Los edemas pueden aparecer de manera progresiva o repentina. Aparecen de manera repentina si la mujer sufrió, por ejemplo, un conflicto de esterilidad porque entra inmediatamente en curación, con un edema en el tronco cerebral que comprime los comandos del tubo digestivo, y por eso los vómitos. Sin embargo, en la mayoría de casos, aparecen de manera progresiva.

Una vez la mujer está embarazada, se podría decir que los conflictos anteriores quedan a un lado. Permanece en parasimpaticonomía (segunda fase) hasta el momento de las primeras contracciones uterinas. En realidad, el principio biológico aplicado es que la vida, la perpetuación de la especie, es más importante que todo. Aunque los conflictos no estén solucionados, se dejan de lado para poder transmitir la vida.

Así pues, el embarazo no implica realmente una resolución de los conflictos: sólo limita (a menos que la madre sufriera conflictos de no poder tener hijos o de carencia de reconocimiento social u otros aspectos solucionados por el hecho de estar embarazada o tener un hijo que, psicológicamente, no es lo mismo).

Desde las primeras contracciones uterinas, ya sea en el parto o en un aborto natural, se pasa a ortosimpaticotonía (estrés) y los conflictos que se habían apartado, resurgen. Lo que no se ha solucionado durante el embarazo, resurge actual como el primer día. El embarazo sólo fue un paréntesis. En cuanto a los conflictos que se han sufrido durante el embarazo, también aparecen con todas sus fuerzas. Así podemos ver aparecer, a partir del parto, psicosis, depresiones postparto u otras patologías, como la diabetes.

No hay duda que las mujeres embarazadas viven dramas. Pasan al estado de estrés, de ortosimpaticotonía, que viene acompañado de una vasoconstricción: las vías se reducen para que la sangre vaya hacia el cora-

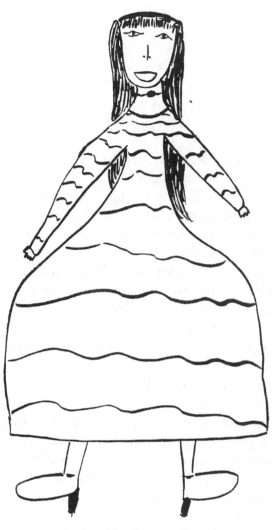

Fig. 29: El vestido a los nueve flotantes meses.

zón, el cerebro y los pulmones. Durante algunos segundos, la sangre no pasa por el cordón umbilical. En ese momento, el niño puede sufrir un conflicto biológico de falta de alimentación. Si el conflicto no dura demasiado y la sangre vuelve a circular por el cordón con normalidad, el niño soluciona el conflicto y, a lo mejor, desarrolla un pequeño nódulo en el hígado. Si la interrupción de riego sanguíneo dura demasiado, el feto puede morir en el útero.

Casos clínicos

— Una mujer embarazada se enteró de que su cuñada, a quien quería mucho, había tenido un accidente y que estaba ingresada en cuidados intensivos. Inmediatamente, se quedó blanca como el papel. El conflicto duró ocho semanas, durante las cuales esta mujer sufrió constricciones de los vasos uterinos y contracciones. Cuando nació el bebé, le descubrieron un cáncer de hígado, debido a que, con tantas vasoconstricciones, no había recibido alimentación de manera regular. Había sufrido un conflicto de miedo a la falta de alimentación.

— Un conflicto terrible afectó a una mujer durante los tres primeros meses del embarazo. Su familia, al enterarse de la noticia, se indignó: «¡De ninguna manera vas a tener un tercer hijo!». Ella lo vivió como un choc, porque pensaba que la obligarían a ceder. Durante el cuarto mes, se tranquilizó y el conflicto desapareció. Durante el sexto mes, solucionó por completo el conflicto, y fue capaz de afirmar: «Voy a tener a mi bebé». A consecuencia del conflicto, había descalcificado el cuello del fémur (que se corresponde al sentimiento «me opongo pero tengo que ceder»). Durante la fase de reparación, desarrolló un edema muy doloroso debajo del periostio del cuello del fémur.

Además, en el árbol genealógico aparecían muchas fracturas del cuello del fémur en las madres.

Se ha constatado algo en las mujeres que sufren poliartritis reumatoide. Durante el embarazo, estas mujeres experimentan una remisión completa de la enfermedad. En un experimento, les extrajeron sangre durante el embarazo y la conservaron. Después, diez días después del parto, cuando reapareció la poliartritis, les hicieron una autotransfusión de 250 ml de plasma. El resultado fue una mejora espectacular.

CUARTA PARTE

Las implicaciones concretas de los principios generales

La propia naturaleza me instruye. Es mi madre y yo la obedezco. Me conoce y la conozco. La luz está en ella, la he contemplado, la he demostrado en el microcosmos y la he reencontrado en el universo.

TEOFRASTO PARACELSO

1. Los tres tipos de reacciones físicas

Después de un choc, la biología entra en conflicto y lo manifiesta físicamente de tres manera posibles:

• La masa (+), como los tumores, pólipos, nódulos, verrugas, etc. Son casos de producción de células suplementarias.

• El vacío (−), como las úlceras, las descalcificaciones, las necrosis, las escaras, cualquier tipo de pérdida de sustancia.

• Las enfermedades funcionales. Si la masa y el vacío son manifestaciones orgánicas, lo que se altera en las enfermedades funcionales es la función. Un ejemplo son las parálisis: los órganos están ahí, pero no funcionan. Otros ejemplos son la diarrea, la diabetes, las pérdidas de oído, de olfato o de vista, como Ray Charles, que se quedó ciego «viendo» a su hermano pequeño morir escaldado.

¿Qué hace que, después de un conflicto, el cuerpo reaccione de una manera y no de otra? Por ejemplo, después de un conflicto que afecta al colon, una persona puede desarrollar un pólipo en el recto (+), fisuras anales (–) o diarrea (funcional).

Hay dos grandes categorías de sentimientos: arcaicos y elaborados.

También hay dos cerebros: el antiguo (tronco cerebral y cerebelo) y el nuevo (gran cerebro compuesto por los dos hemisferios y los núcleos grises centrales).

Antes hemos abordado la embriogénesis y el desarrollo de los órganos en función de las cuatro capas embrionarias.

El endoblasto y la lámina interna del mesoblasto producen los órganos arcaicos; la lámina externa del mesoblasto y el ectoblasto fabrican los órganos que recibirán los conflictos más elaborados.

Cuando una persona sufre un conflicto que siente de manera vital, arcaica, afecta a su cerebro arcaico y descodifica un órgano nacido de las capas embrionarias arcaicas. Estos órganos producen, en una primera fase, masa: pólipos, tumores, etc., que son multiplicaciones celulares. Por ejemplo, una persona que sufra un conflicto en términos de deshonra empezará a multiplicar las células de las mucosas intestinales. Desarrollará un pólipo en el colon para segregar más mucosa, cuya función es eliminar todos los «líos».

Si a alguien le falta oxígeno, la reacción biológica arcaica es fabricar más alvéolos pulmonares para poder atrapar más oxígeno.

Pero estos chocs se pueden vivir de distintas maneras. Cuando los sentimientos son más elaborados, los conflictos afectarán a los órganos surgidos de las capas embrionarias externas. Entonces, la solución será un vacío (–). En este caso, el cerebro ordena a los órganos afectados que se ahuequen. Una persona que sufra un conflicto de deshonra (sentimiento arcaico) desarrollará, por ejemplo, una masa en el recto endodérmico. Si lo vive como un conflicto de identidad en el territorio, si se siente abandonado, ahuecará el colon y desarrollará fisuras anales, con el fin de evacuar la deshonra y dejar vía libre a lo que no le es extraño. (Desde un punto de vista psicoanalítico, se pretende que un niño en la etapa anal manifieste su ser a través de los excrementos.) Si nos falta aire, espacio o libertad, la solución orgánica elaborada es ahuecar los bronquios para dejar entrar más aire.

Podemos ilustrar estos fenómenos mediante el ejemplo del delfín que, como todo el mundo sabe, es un mamífero que volvió al medio acuático. Para ser exactos, el antepasado del delfín era, hace 55 millones de años, una especie de lobo que vivía en las orillas del mar o los ríos, el *mesonyx*.[13] Cuando regresó al agua, sufrió un conflicto de carencia de aire (conflicto arcaico) y multiplicó los alvéolos pulmonares. En la actualidad, los delfines tienen 450 millones de alvéolos; es decir, tres veces más que los humanos. Una doble capa de capilares le permite obtener el 10 % del oxígeno del aire que respira, mientras que los humanos sólo obtenemos el 5 %. Además, unas bolsas de aire, producto de la dilatación de los bronquios (–), le permiten almacenar más aire, algo que le permite mantenerse debajo del agua alrededor de un cuarto de hora. Este ejemplo, fruto de la evolución, demuestra dos posibles reacciones físicas, que son reacciones de adaptación, de supervivencia.

Las tres reacciones (masa, vacío y fallo funcional) aparecen durante la primera fase de las enfermedades en un conflicto activo.

Órganos comandados por el:	Manifestación física en la 1.ª fase, de estrés:	Manifestación física en la 2.ª fase, de reparación:
Cerebro antiguo	(+)	(–)
Cerebro nuevo	(–)	(+)
Antiguo y nuevo	Fallo funcional	Recuperación funcional

Fig. 30: Las tres reacciones biológicas.

1. Cuando el conflicto se resuelve, pasamos a la segunda fase y la multiplicación celular de los órganos surgidos de las capas **arcaicas** se estabiliza. Los pólipos y los tumores dejan de crecer. En el momento en que pasamos a la tercera fase (que es el paso del sentimiento negativo al positivo), los pólipos y los tumores desaparecen, se evacuan. Más adelante detallaré la evolución de los síntomas.

2. Cuando el conflicto es más **elaborado**, menos vital, y la reacción es un vacío en un órgano surgido de la lámina externa o del ectoblasto, el vacío se estabiliza en el momento del paso a la segunda fase.

13. *Véase Le monde des dauphins*, de J. Y. Cousteau e Y. Paccalet, Laffont, París, 1995.

Ejemplo: **la desvalorización**.

Para comprender lo que sucede con las desvalorizaciones, hay que recordar que los huesos están formados por dos grandes familias de células: los osteoblastos (que están permanentemente construyendo el hueso, como pequeños albañiles) y los osteoclastos (que están permanentemente destruyendo el hueso, como una empresa de demoliciones). Las dos familias celulares están en perfecto equilibrio. Así, la estructura ósea permanece igual mientras que el tejido óseo va evolucionando, se renueva constantemente. Cuando alguien sufre un choc de manera humillante, desvalorizante, los osteoblastos dejan de funcionar, mientras que los osteoclastos siguen trabajando.

Volvamos al ejemplo del delfín. Es fácil imaginar que, cuando este mamífero volvió al agua, era mejor tener el pelo corto, para que no le molestara al nadar. Las patas, largas, ya no le servían de nada en el agua. Le era más útil tenerlas cortas, anchas y planas. A lo largo de la evolución, la cola, las caderas, el cuello, las patas… **todo lo que no tiene valor funcional, desaparece o se transforma**, con el objetivo de moverse lo más rápido posible en el nuevo medio, en este caso el agua, con el menor esfuerzo muscular posible. En el esqueleto de los delfines todavía pueden observarse vestigios de pelvis, cola o falanges. Lo que hay que entender es que, cuando algo pierde su valor, su razón de ser, entonces desaparece. Por eso los conflictos de desvalorización provocan descalcificaciones óseas. Un hombre que, por ejemplo, se considera mal padre, desarrollará una descalcificación en el hombro izquierdo, sobre el cual tendría que haber llevado a su hijo.

Cuando el conflicto de desvalorización deja paso, en la segunda fase, a un sentimiento como «ya no me desvalorizo más», la descalcificación se detiene y la estructura ósea se estabiliza: los osteoblastos vuelven a construir el hueso, aunque lentamente. No vuelven a ser completamente activos hasta que la persona pasa a la tercera fase, cuando reconoce su valor, y entonces vuelven a fabricar el hueso, a veces sin tregua, lo que puede provocar molestos tumores óseos, grandes fabricaciones de tejidos óseos: osteomas, cal ósea, osteofitosis.

3. En cuanto a las enfermedades funcionales, que provienen de conflictos arcaicos o elaborados, el fallo desaparece cuando éstos se solucionan.

Según la energética china, en la primera fase los órganos (hígado, bazo, páncreas, pulmones, riñones) se ralentizan y las vísceras (intestinos grueso y delgado, vías biliares, estómago, vejiga) se aceleran; y, en la segunda y la tercera fases, los órganos se aceleran y las vísceras se ralentizan.

2. La evolución de los síntomas

Se presentan dos posibilidades: el sujeto soluciona el conflicto o no lo soluciona.

Conflicto sin solución

Cuando una persona no encuentra solución a un conflicto, puede tener varias reacciones biológicas:

• **Primera posibilidad: la cachexia.** La persona se obsesiona con su problema, al que no deja de dar vueltas, como un coche que diera vueltas alrededor de una ciudad sin detener el motor... El coche funciona, se para y ya no vuelve a arrancar. Es un agotamiento que, a la larga, lleva a la muerte. Este agotamiento es muy evidente, por ejemplo, en las personas que están en el paro. No tienen comida, han perdido el trabajo, su sitio en la sociedad, la dignidad. O en el caso de un marido, al que su mujer haya dejado, y no come, no duerme y vive obsesionado con eso. El conflicto está activo noche y día, la persona vive en un estrés permanente, sin respiro ni reparación.

• **Segunda posibilidad: la instalación de la patología.** Este fenómeno suele aparecer en las enfermedades funcionales, como la ceguera, la sordera, la diabetes... La persona no encuentra solución a su conflicto, pero su vida no corre peligro. La patología se instala, se pasa a la cronicidad.

• **Tercera posibilidad: la carga conflictiva queda en suspensión.** El conflicto no se soluciona pero ya no está activo. Se pasa a la segunda fase con ocasión, por ejemplo, de un embarazo, una descompensación psíquica o un problema de comportamiento: el conflicto ya no se vive de la misma manera. Se pasa a la evidencia. Por ejemplo, una persona que sufre miedos o temores descodifica la retina; pero si los miedos se convierten en algo evidente para ella, esta persona basculará hacia la paranoia, creerá que la persiguen y que todo el mundo conspira contra ella. Puede hablar de ello, lo vive de una manera consciente, no existe solución pero el órgano no está afectado.

Solución al conflicto

Si hay solución (disolución) del conflicto, la curación puede adquirir varias formas.

Cuando, después de un conflicto arcaico, queda una masa, si está en un órgano vacío (como el colon) en fase de curación, la masa resulta inútil (porque el conflicto se ha solucionado) y el órgano la elimina, la expulsa hacia el exterior.

Si la masa está en un órgano pleno, como el hígado, en la segunda fase se produce una inflamación local (hiperactividad del tejido) que provoca que la masa tumoral crezca. En la tercera fase, se enquista y va disminuyendo de manera progresiva. También puede calcificarse.

En algunos casos, la tercera fase puede provocar necrosis en los órganos plenos: el tumor, sobre todo si es pequeño, desaparece (los macrófagos lo digieren y la sangre lo drena) y da lugar a un vacío.

También puede pasar, aunque realmente es muy poco común, que las necrosis permitan que los tejidos alrededor del tumor se multipliquen y reconstruyan el órgano.

Otro tipo de curación se produce cuando un conflicto de tipo elaborado, después de haber ahuecado el órgano durante la fase activa, en la fase de curación provoque una cicatrización. Una masa (+) sucede a un vacío (–). Por ejemplo, después de una úlcera de estómago, el vacío se vuelve a tapar y deja paso a una cicatriz. En una desvalorización, allí donde el hueso tiene huecos, puede aparecer un osteoma o una osteofitosis. A veces, el resultado puede ser más masa ósea que antes. Puede quedarse así de por vida o se puede equilibrar mediante una operación quirúrgica.

Otra forma de curación es la desaparición del fallo funcional. Por ejemplo: una mujer hacía 15 años que había perdido el olfato. En terapia, encontró, revivió y se liberó del acontecimiento que había provocado el choc (su madre, muy enfadada, no se sabe muy bien por qué, la había encerrado en un armario oscuro donde también estaba la basura). La mujer se había estresado mucho y sentía que todo, incluso lo limpio, olía mal. Durante la sesión, recuperó el olfato. Hubo un paso hacia la curación inmediato, el fallo se suprimió sin plazo de reparación del órgano, porque no tenía ninguna lesión, sólo un fallo.

Otra posible manera de evolución de la enfermedad es la infección microbiana (*véase* pág. 148) o la limpieza por microbios. Parece ser que, en efecto, la intervención de los gérmenes no es producto del azar, sino una respuesta al mismo tipo de (bio)lógica interna.

Aspectos terapéuticos

Es básico saber a qué fase de la enfermedad corresponden los síntomas que presenta el paciente. Vemos que también aparecen signos de multiplicación celular en la tercera fase, y que estos signos pueden provocar nuevos chocs (conflicto autoprogramado). Es importante que el paciente lo entienda y que lo verifique en su interior, no como una creencia mágica, sino que él **experimente** que verdaderamente existe tal conflicto, que lo ha solucionado y que los síntomas aparecieron a partir de entonces.

Cuando la persona está en la segunda fase, los signos de curación tienen tendencia a durar, incluso a convertirse en crónicos. En la tercera fase, estos signos suelen ser más breves y, por lo general, la persona los vive mejor. El conocimiento de estas leyes biológicas permite a los pacientes entender los síntomas y evitar nuevos conflictos.

Además, los medicamentos no tendrán el mismo impacto, depende de la fase de la enfermedad en la que nos encontremos. En la primera fase, los productos estresantes (café, té, ciertos medicamentos) aumentan el estrés, el sentimiento y, por lo tanto, los síntomas. En la fase de curación, tienden a limitar el edema, tanto a nivel de los órganos como del cerebro. En la tercera fase, estos productos disminuyen los signos desagradables de la curación.

En cualquiera de las fases es importante romper la soledad en la que se encuentran los pacientes. Nos esforzaremos en cambiar los mensajes (órdenes, creencias), desprogramar los raíles, prevenir cualquier conflicto secundario que pueda incorporarse a los síntomas de reparación (miedos, desvalorizaciones relacionadas con los síntomas, conflictos sobre la motricidad o una dependencia mal vivida).

Velaremos por prevenir cualquier recidiva. Como ya hemos visto con la noción de raíl, cuando una persona ha vivido un choc, puede revivirlo fácilmente si reaparece un elemento de ese raíl. Por eso, hay que solucionar del todo el conflicto, llegar hasta la tercera fase de cada raíl del choc.

Casos clínicos

— Un paciente acudió a mí para consultarme acerca de un linfoma (tumor de los vasos linfáticos) en la cabeza. Había sufrido esa enfermedad tres veces, con algunos años de diferencia. No entendía por qué, cada vez que las cosas le iban bien en la vida, sufría un tumor en las vías linfáticas. Le expliqué que podía haber síntomas, como los tumores, en fase de solución. Estas explicaciones le conmovieron mucho, las recibió como una evidencia y los linfomas nunca más volvieron a aparecer.

He tenido varias pacientes para las que, el hecho de comprender, de sentir y de verificar que el acné era un periodo obligado y un signo de reparación les había permitido, después de haber identificado el conflicto, vivir con normalidad esa etapa y aceptarla. La habían solucionado rápidamente, desarrollando un acné masivo durante algunos días, antes de que desapareciera definitivamente. No vivieron esa etapa con estrés, porque sabían que era una fase de reparación. En realidad, dejaron de vivir conflictos debidos a los síntomas de reparación, y así cerraron el círculo vicioso.

La muerte

«Las palabras que no han dicho son lo que hace que los muertos pesen tanto en el ataúd»

H. DE MONTHERLANT

Hay varios factores que pueden agravar los síntomas y provocar la muerte:
- Un conflicto que dure demasiado y provoque una cachexia.
- El miedo del paciente y su entorno.
- El aislamiento afectivo del paciente o una interiorización exagerada: todo conflicto, con sus propios sentimientos, con su carga emotiva, se tiene que expresar en voz alta.
- Las recidivas del mismo conflicto, que hacen que la persona pase continuamente de la primera a la segunda fase y viceversa, lo que la deja agotada.

3. Los gérmenes

«Sin la presencia de los microbios en nuestro planeta, el hombre y los demás organismos vivos dejarían de existir. Son responsables del 90 % de las reacciones bioquímicas que se producen en la Tierra. Los microbios están presentes, en gran medida, en todas partes de la Tierra, incluyendo los me-dios extremos. Participan en todos los ciclos de transformación de la materia.»

«Los microbios forman parte de nuestro tejido social y económico. Tienen un inmenso efecto en el bienestar de la sociedad.»[14]

«En el fondo, era inevitable heredar los genes de las bacterias. La vida sólo se inventó una vez en este planeta. En consecuencia, somos los hijos de las bacterias y hemos heredado su sistema SOS. Ése es el testimonio del extraordinario poder de la vida. Por lo tanto, estoy totalmente convencido que el fenómeno al que nosotros llamamos cáncer no es más que la reactivación, en nuestras células, de ese programa de supervivencia.»[15]

Cuando la idea de que «el azar somático sólo es aparente y que cualquier síntoma tiene un sentido oculto, lógico» ya está aceptada, llega de manera natural la cuestión de los microbios (o gérmenes) y las enfermedades infecciosas. Una posible evolución de los síntomas es, en efecto, la infección microbiana.

Estamos acostumbrados a escuchar frases como: «¡Pero la epidemia existe!», «He cogido frío, y por eso toso», «Cuando nos han vacunado, tenemos buena salud» o «Protegerse de las enfermedades consiste en protegerse de los gérmenes».

Para alimentar la reflexión, propongo algunos datos científicos. Para empezar, nos preguntaremos qué es un microbio. Después, 14 observaciones nos demostrarán que la infección no es lógica. Hay personas infectadas que se encuentran bien, son los portadores sanos. Y, al contrario, podemos no encontrar ningún germen en personas enfermas, febriles, enfermas de cistitis, etc.

En primer lugar, un día me quedé sorprendido al escuchar que ningún germen, absolutamente ninguno, es espontáneamente patógeno. Ningún microbio provoca una enfermedad de manera espontánea. Pero empecemos por el principio…

¿Qué es un germen?

Por definición, un microbio simplemente es un organismo no visible al ojo humano, únicamente observable con microscopio. También se habla

14. Xavier y Laurence Rolland, *Bactéries, Virus et Champignons*, Collection Dominos, Flammarion, París, 1997.
15. Profesor Lucien Israël, en «Medicines Nouvelles», n.º 98.

de gérmenes. Detrás de estos términos genéricos hay que diferenciar varias familias muy distintas entre ellas, tanto por su naturaleza como por su función. Las principales familias microbianas son:

1. **Los microbios** animales (parásitos…).

2. **Los hongos**, con las correspondientes subcategorías: levadura y moho (el muguete de los niños es un ejemplo de levadura). Los hongos sólo actúan sobre la materia muerta, que transforman. Les gusta la humedad (por eso suelen aparecer entre los dedos de los pies). Nos protegen porque impiden que otros microbios, como los estafilococos o los estreptococos, se queden fijos en un lugar. De alguna manera, ejercen de antibióticos naturales.

3. **Las bacterias**, cuyas especies son innumerables. Su función principal es la transformación de sustancias químicas, transformación a través de la cual las bacterias participan en el ciclo de la vida. Según su forma, se les han adjudicado nombres distintos: a las redondas se las llama cocos; los bastoncillos son los bacilos. En el núcleo hay un único cromosoma, útil al 100 %. Algunas pueden conservarse o perdurar en el aire o la tierra, en forma de esporas. Hay dos tipos de bacterias:
• Las bacterias saprófitas. Son libres y viven a expensas de la materia muerta.
• Las bacterias parásitas que, a su vez, se pueden clasificar en tres subcategorías:
  a) las bacterias inofensivas.
  b) las bacterias patógenas.
  c) las bacterias simbióticas, que son útiles para el organismo huésped y viceversa.
Sin que se sepa por qué, las bacterias pueden pasar de una categoría a otra. Así, por ejemplo, una bacteria inofensiva puede convertirse en patógena.

4. **Los virus**, que se conocen desde la invención del microscopio electrónico. En la actualidad, se tienen contabilizadas treinta mil especies. Son más pequeños que las bacterias y no tienen cromosoma, aunque sí tienen un gen. No se sabe con certeza si los virus derivan de los seres vivos o muer-

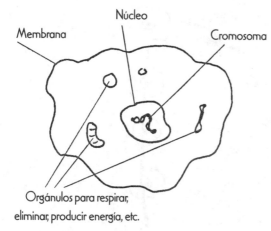

BACTERIA   VIRUS

Fig. 31: Anatomía de la bacteria y del virus.

tos. En realidad, no tienen estructura celular con orgánulos para respirar, sintetizar la materia, etc. No son vivos ni inanimados. Son parásitos obligatorios: sólo pueden multiplicarse en la materia viva (animal, vegetal o bacteriana). Los virus tienen una o dos hebras de ADN o de ARN, además de una membrana. Para reproducirse, entran en otra célula y utilizan su energía. Participan en el ciclo vital, sin ser ellos mismos seres vivos. Fuera de un huésped, el virus es como una molécula química estable. Adquiere vida al entrar en contacto con un ser vivo.

«La gran fuerza de los virus es su capacidad de multiplicarse rápidamente y mutar. Mutan mil veces más deprisa que las bacterias y un millón de veces más deprisa que el ser humano. Así, el virus del sida cambia prácticamente delante de nuestros ojos.»[16]

«¿Cuál es la función de los virus y por qué siempre están presentes? Según algunas teorías, podrían ser un factor de evolución de lo seres vivos. Al integrarse en su patrimonio genético, les suministrarían nuevos genes, desarrollando así capacidades que las células no tenían antes.»[17]

16. Xavier y Laurence Rolland, *Bactéries, Virus et Champignons,* Collection Dominos, Flammarion, París, 1997.
17. Revista *Science et Vie.*

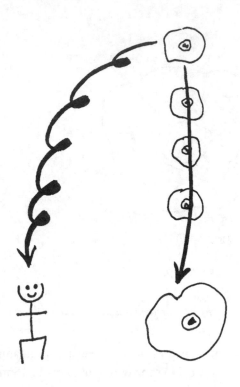

Fig. 32: La bacteria, nuestra antepasada.

5. Los priones (descubiertos en 1982). Estos gérmenes no tienen material genético. Son moléculas compuestas de aminoácidos. Su clasificación es muy complicada.

Algunas observaciones

1. Las bacterias se consideran como las precursoras de la vida. En la actualidad, se sabe que la primera forma de vida terrestre fue bacteriana. Una rama continuó reproduciéndose en bacterias y la otra evolucionó, desarrollándose y complicándose cada vez más.

2. ¡El cuerpo humano está formado por 10^{13} células y 10^{14} microbios! En otras palabras, por cada célula tenemos 10 microbios, principalmente bacterias. «Estos microbios, llamados comensales, están perfectamente adaptados al individuo. Se utilizan como fuente de alimentación y de calor sin perjudicarle. Cuando, como recompensa, aportan un beneficio al huésped, casi siempre produciendo vitaminas, ascienden al grado de simbiontes.»[18]

A modo de anécdota, tenemos alrededor de 1 kg de bacterias en el intestino. Debajo de cada axila, hay 16 millones de microbios, ¡en unos 6 cm²! En el sencillo gesto de darle la mano a alguien, se intercambian 34 millones de microbios. Se calcula que en 1 gr de tierra fértil hay más de 100 millones de bacterias vivas. Cuando sabemos esto, es lógico preguntarnos: «¿Cómo nos las arreglamos para estar sanos?».[19]

«Los microbios tienen una reputación repelente y alarmante. Sin embargo, el hombre forma equipo con ellos. El hecho de que la mayoría sean inofensivos, beneficiosos y, por lo tanto, indispensables, no se suele entender.»[20]

3. Así pues, estamos en permanente contacto con miles de microbios, en nuestro interior, y en el exterior a través del aire, del agua, de la comida, del contacto, etc. Y, sin embargo, no estamos enfermos. Ahora bien, como acabamos de explicar, algunas bacterias inofensivas pueden, sin ninguna razón aparente, convertirse en agresivas de repente.

4. El contagio no siempre es lógico, aunque sí estadístico. Algunos investigadores, como Claude Bernard a principios de siglo, contrajeron gérmenes del cólera sin desarrollar la enfermedad. Bernard solía decir una frase que se hizo famosa: «Pasteur se equivocó; el microbio no es nada, el terreno lo es todo».

Hace algunos años, se preconizaba la asepsia y la esterilización. Las epidemias despertaron una caza de microbios, incluso a veces de manera grotesca, como vemos a diario en ciertos anuncios comerciales. Pero es algo recurrente desde los años ochenta.

5. Hasta los años ochenta, se calculaba que para reducir los riesgos de infección de una plaga, se tenía que recurrir al ambiente más seco posible. Este concepto se ha desechado: se sabe que las curas cerradas, que crean un

18. Xavier y Laurence Rolland, *Bactéries, Virus et Champignons,* Collection Dominos, Flammarion, París, 1997.
19. *Véase* Louis, F. Perrin, *Le Système immunitaire,* Collection Dominos, Flammarion, París, 1997.
20. *Op. cit.*, nota 18.

ambiente húmedo, favorecen la cicatrización. Este fenómeno se basa en la proliferación de bacterias gramo-negativas, que atraen a las células macrófagas que digieren los tejidos muertos.

6. Es conocida la historia de un soldado estadounidense que recibió una herida en el muslo durante la guerra de Vietnam. En un pueblo, el sanador local aplicó excrementos lanzados al estercolero y lo envolvió todo con una hoja de bananero. A los ocho días, la herida se había cerrado y cicatrizaba perfectamente.

7. «Contrariamente a la idea más generalizada, el objetivo de un virus no es destruir a su huésped, sino simplemente utilizarlo para reproducirse [...]. Los virus, que necesitan estar en una célula activa, estimulan la división celular de la célula huésped.»[21]

8. «Si el virus no encuentra en el huésped infectado otra vez, las condiciones de las que dispone en la reserva, puede transformarse genéticamente y pasar a ser patógeno. En realidad, se cree que entre el virus y el nuevo huésped se establecen una serie de interacciones varias, lo que conocemos como el proceso de coevolución que, en la etapa final, llega a un equilibrio entre el huésped y el virus [...]. Si el virus de la fiebre española, que mató a una veintena de millones de personas en 1918 en Europa volviera, ahora sólo provocaría una fiebre benigna. Con el tiempo, el virus y el huésped han aprendido a soportarse.»[22]

9. En la actualidad, los médicos ya han comprobado la relación entre la úlcera de estómago y una bacteria. Sin embargo, siguen sin explicarse por qué sólo una pequeña fracción de las personas infectadas por esa bacteria desarrollará una úlcera.

10. Se hizo un experimento muy interesante con una rata que tenía un tumor en el cerebro. Le inyectaron el virus del herpes. Este virus destruyó el tumor en 48 horas sin tocar los tejidos sanos.

21. Xavier y Laurence Rolland, *Bactéries, Virus et Champignons,* Collection Dominos, Flammarion, París, 1997.
22. Ibíd.

11. Parece que el virus obedece a una inteligencia oculta o que actúa bajo una autorización del cerebro.

12. «Lo más sorprendente de la mayoría de las epidemias es que aparecen y desaparecen de manera sucesiva. Se habla de enfermedades reemergentes. No siempre se conocen las razones. Las guerras o los problemas políticos son fuente de epidemias. Se sabe que las del tifus aparecen con las guerras y desaparecen en tiempos de paz.»[23]

En la actualidad, cada vez hay más gente que se cuestiona acerca de la relación entre la aparición de determinadas enfermedades, como las fiebres hemorrágicas o el sida, y los cambios ecológicos y psicosociales (del comportamiento). Al parecer, el hombre entraría en contacto, de manera brusca o accidental, con una reserva animal infectada aunque adaptada al virus en cuestión desde hace tiempo.

13. «Ante una infección vírica, bacteriana o parásita, no todos los individuos son iguales. En algunos casos, la infección pasa desapercibida: son los conocidos como portadores asintomáticos o portadores sanos. Así, por ejemplo, el bacilo de la tuberculosis puede provocar, o no, la enfermedad en los individuos que lo han contraído. En la mayoría de casos, el primer contacto con el bacilo, una primera infección, pasa desapercibido.»[24]

14. «Ni buenos ni malos, los microbios ejercen su influencia en la naturaleza y, por consiguiente, en la existencia del hombre.»[25]

Los microbios no son nunca patógenos de manera espontánea.

El sistema inmunológico

«De los millones de células del cuerpo humano, sólo una de cada cien tiene la función de defendernos y forma parte del sistema inmunológico.

23. Xavier y Laurence Rolland, *Bactéries, Virus et Champignons,* Collection Dominos, Flammarion, París, 1997.
24. Ibíd.
25. Ibíd.

Se encuentra en la base de nuestra personalidad inmunológica; sabe diferenciar entre los constituyentes del organismo: lo propio y el resto (lo ajeno).

El sistema inmunológico de un individuo considera que forma parte de él aquello con lo que ha estado en contacto durante la vida intrauterina.

Lo propio no se consigue de golpe sino que se construye para que permanezca.

Los polinucleares y los macrófagos (glóbulos blancos) son los basureros del organismo.»[26]

Dado que los microbios son cuerpos extranjeros, antígenos, frente a ellos están los anticuerpos: la reacción del cuerpo ante los microbios.

La primera defensa del cuerpo es la piel y la segunda está en la sangre.

Como las enfermedades no son ilógicas, sino que muchas tienen un sentido biológico, nos podemos preguntar por qué la acción de los microbios sería totalmente ilógica.

Se han vuelto a censar los casos de tuberculosis en individuos sin Bacilo de Koch o en mujeres con cistitis cuando, según los análisis, la orina era estéril.

Y los casos de personas que son lo que llamamos portadores sanos: llevan los gérmenes en el cuerpo pero no desarrollan ninguna patología. Se han descubierto, por ejemplo, meningococos en personas que no tenían meningitis. No todas las personas que tienen el VIH tienen el sida. Es decir, a veces se encuentran enfermedades infecciosas sin microbios y microbios sin enfermedades.

Después de estas aclaraciones, una primera conclusión sería que el microbio no es el responsable de la enfermedad. No existe una relación causal unívoca.

Nuestra opinión es que los gérmenes sólo están activos durante la fase de curación (segunda y tercera fases de la enfermedad).

En normotonía*, y durante la primera fase (ortosimpaticotonía), los gérmenes están presentes, aunque inactivos e inofensivos: somos portadores sanos.

26. Ibíd.

Cuando se resuelve el conflicto, la biología da permiso a los gérmenes para que estén activos en algunos lugares, en algunos órganos del cuerpo (los que solucionan el conflicto).

Si alguien tiene un síntoma en el hígado, durante la fase de reparación los gérmenes sólo estarán activos en el hígado para repararlo. Si una persona tiene un tumor en el cerebro y antes había estado en contacto con el virus del herpes, este virus tiene permiso para digerir únicamente el tumor.

Los gérmenes son virulentos cuando el cuerpo pasa a la segunda o a la tercera fase, en parasimpaticotonía. Los gérmenes también tienen su propio programa biológico e intentan reproducirse. Frente a ellos, para equilibrar las fuerzas, el sistema inmunológico hace de protector, para limitar sus acciones, poner barreras. De este modo, la infección queda localizada en un punto.

Si una persona sufre varios conflictos en fase de reparación, la infección puede afectar a varios órganos y, a veces, puede ser peligrosa y requerir ayuda médica para evitar que se desborde.

Los gérmenes aceleran la curación. Permiten reducir el tiempo de reparación, lo que hace que ésta sea más intensa.

Las epidemias

En una clase de colegio, una epidemia de gripe afecta al 40 o al 60 % de los alumnos. ¿Por qué no al 100 %, si están en contacto los unos con los otros? ¿Cuál es la diferencia que marca la diferencia? Las epidemias de la peste negra o la gripe española no mataron a todo el mundo. ¿Por qué? ¿Por qué algunos sobrevivieron? Hay elementos que se nos ha escapado hasta ahora.

En el fondo, hay algo que las personas que contraen la gripe, el cólera o la peste negra tienen en común, algo que descubrimos si los escuchamos, si escuchamos el conflicto común que los une. Así, para que toda una población en la Edad Media pudiera sufrir los mismos conflictos de angustia por el invasor, de hambruna o cualquier otra cosa, la gente sufría conflictos colectivos. También vivían curaciones colectivas mediante las fiestas, religiosas o paganas, que eran muy numerosas.

Todavía hoy, esto es muy común en países del hemisferio sur, donde hay soluciones colectivas (fiestas) para dar solución a los miedos y otros conflictos colectivos. Un grupo geográfico puede sufrir un mismo conflicto.

En la vida moderna, es interesante comprobar que no son tanto los grupos geográficos los que sufren conflictos colectivos, sino los grupos sociales. Antaño, eran las gentes de Esparta o de Atenas; ahora son los camioneros, los funcionarios o los homosexuales los que presentan el mismo tipo de conflicto social y desarrollan patologías comunes.

4. Los aparatos

El objetivo de este libro es la autonomía de la mujer y del hombre que desean entender su salud y prevenir cualquier forma de enfermedad. Por eso, puede resultar útil entender de la manera más precisa posible las leyes biológicas que sostienen el funcionamiento del ser vivo.

Podríamos dejarlo ahí. Porque con la noción de las tres fases de la enfermedad, con las definiciones de conflicto y de choc, cuando te encuentres ante alguien que presente un síntoma, cualquiera, te bastará con remontarte en el tiempo y encontrarás el acontecimiento no dicho que se ha vivido de manera emocionalmente dolorosa.

Otra herramienta nos permite centrarnos en el acontecimiento que provocó el síntoma sobre el que la persona desea trabajar: el **sentimiento emocional**.

Al proponer una relación entre cada órgano y un sentimiento emocional es posible que, como terapeuta, puedas interrogar a esa persona de modo que sea capaz entonces de decir lo indecible, de explicar lo que no podía verbalizar, porque le resultaba demasiado emotivo, demasiado difícil.

¿Cómo se ha podido descifrar cada descodificación?

Al principio fue un médico, el Doctor Hamer, quien tuvo la original idea de descodificar las enfermedades a partir de la fisiología. Empezó por la función de los órganos para entender el sentido biológico de los síntomas, ya sea el bronceado, una verruga, un nódulo en el hígado o un cáncer de pulmón. Es un camino deductivo, que parte de la función biológica de los órganos.

En la actualidad, varios criterios de verificación existentes nos permiten presentar estas nociones y utilizarlas en nuestro propio enfoque terapéutico.

Las tres verificaciones

Primera verificación: para afirmar que el melanoma es un conflicto de deshonra o que un tumor en los pulmones es miedo a la falta de aire, hay que regresar a la función de la melanina o de los alvéolos. La comprensión de la función normal permite llegar a la patología, y no a la inversa (como el psicoanálisis, que es un análisis de las patologías).

Segunda verificación: ¿cuál es el mínimo común denominador entre las personas que presentan la misma patología? Se necesitan un número mínimo de pacientes (al menos unos veinte) con el mismo síntoma y encontrar el sentimiento que todos comparten, el MCD (Mínimo Común Denominador).

Tercera verificación: la curación. Cuando se expresa, se soluciona, se libera, se transforma la emoción, los síntomas desaparecen. El terapeuta puede, a nivel intelectual, establecer relaciones de causa efecto, puede afirmar que «este cáncer de piel proviene de una imagen mal digerida por tu premental libidinoso introvertido como consecuencia de una madre castradora que, en realidad, era tu hermana mayor...». Se puede inventar cualquier cosa y decírselo al paciente pero, si no cambia nada, si no hay curación, quizás el único problema existente era una simple construcción intelectual del terapeuta.

Era importante precisar el recorrido del libro, ya que nuestro objetivo es proponer un nuevo punto de vista sobre el ser vivo, con efectos terapéuticos y preventivos.

A continuación, abordaremos la visión empírica de la descodificación biológica órgano por órgano. No entraremos en detalle en cada órgano (ya que esto será objeto de una próxima publicación), para que el lector interesado pueda ejercitarse con esta visión, esta escucha de la salud y del enfermo y no utilice una descodificación conflicto/órgano como si fuera un ordenador o un autómata, como una receta milagrosa, sino para establecer una inteligencia en la relación terapeuta-paciente «hacia el cambio».

Generalidades

El cuerpo está formado por un conjunto de células que pueden tener múltiples formas, relacionadas con su función. Las células se reagrupan para formar los tejidos, y los tejidos se asocian entre ellos para formar los órganos. Éstos, a su vez, se asocian para formar los aparatos. Y, por último, la asociación de órganos forma el cuerpo.

Cada aparato se define por una función general.

• Un aparato se ocupa de la alimentación, en concreto de la **digestión**. La relación con el mundo exterior es muy importante: el alimento representa, de alguna manera, el mundo exterior que tratamos de asimilar.

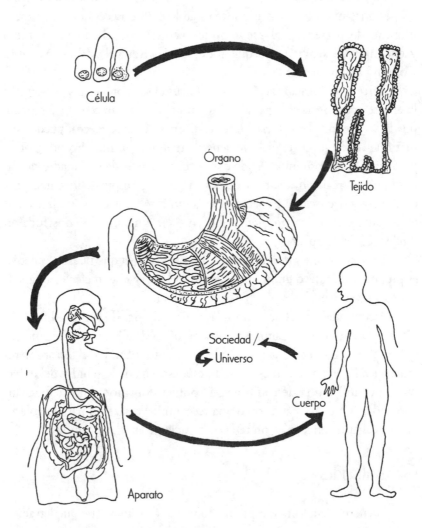

Fig. 33: De la célula al individuo.

Es la transformación del mundo exterior en uno mismo. Las patologías de este aparato están relacionadas con conflictos relativos al mundo exterior: **¿acepto o no lo que me viene del mundo exterior?** Entre los órganos del aparato hay muchas relaciones.

• El aparato **respiratorio** está relacionado con la libertad, el espacio y la seguridad: **siento la necesidad de un territorio, de un espacio de libertad y de seguridad.**

• El aparato **renal** (riñones, uréteres, vejiga) está relacionado con las referencias: **la importancia de situarse en el espacio**, de marcar el territorio.

• El aparato **locomotor** (huesos, músculos, tendones) está influenciado por el sentido, el valor y la utilidad de las cosas. La cuestión es: **¿qué me motiva a hacer esto?**

• El aparato **cardiovascular** (corazón, arterias, venas, sangre) se encarga de la transmisión del oxígeno a todas las partes del cuerpo y de la eliminación de los deshechos. Es la imagen de la casa, de la limpieza, del territorio a conseguir y a conservar. La cuestión es: **¿cómo conservar lo propio?**

• El aparato **sexual** (gónadas, útero, cuello del útero, próstata) está, obviamente, relacionado con la transmisión de vida, con la perpetuación de la especie. **Es un proyecto a largo plazo.**

• El aparato **sensorial** controla la relación con el mundo exterior. **Tengo que conseguir toda la información útil para mi seguridad.**

• El aparato o sistema **hormonal** (endocrinología) se puede considerar como un primer cerebro. Las hormonas circulan por el cuerpo y transmiten la información. El cerebro se comunica con los órganos a través de las **neuronas** (información rápida y breve) o las hormonas (información más lenta, pero que permanece más tiempo).

• También tenemos el sistema **inmunológico**, encargado de distinguir entre lo propio y lo ajeno. Lo ajeno es agresivo, exterior, químico, los gérmenes que no hemos podido identificar durante la infancia; es decir, todo lo que no es propio. Después hay que hacer durar este conocimiento. **Noción de proyectar lo propio a largo plazo.**

Durante el estudio de los distintos órganos, no hay que perder de vista lo que hemos denominado la **doble entrada biológica**,[27] que hace que

27. *Véase* Segunda parte, El choc, pág. 44.

uno pueda vivir un mismo acontecimiento de múltiples formas, dependiendo del sentimiento, y así descodificar órganos distintos.

Además, también hay que saber que la mayoría de órganos están compuestos por tejidos que provienen de dos o tres capas embrionarias. Los pulmones, por ejemplo, tienen una parte endoblástica (arcaica) formada por los alvéolos; una parte ectoblástica, los bronquios; y una parte mesoblástica, el tejido de soporte.

A continuación, trataremos los sentimientos de los aparatos y de los órganos. Los síntomas de la primera, la segunda y la tercera fase serán muy distintos a nivel del cuerpo, el cerebro y la psique.

De manera global, podemos resumir lo que hemos visto hasta ahora clasificando las enfermedades frías en la primera fase, las calientes y crónicas, en la segunda fase y las que están en proceso de curación, en la tercera fase.

Sólo abordaremos las señales generales, ya que cada órgano tiene sus propios síntomas de conflicto activo, de cronicidad o de reparación.

El aparato respiratorio

El aparato respiratorio está dominado por las nociones de espacio, libertad y seguridad. Cuando estas necesidades no se satisfacen, el ser vivo descodifica un órgano u otro del aparato respiratorio, dependiendo de la intensidad del conflicto.

• **La nariz**: el órgano más adelantado, señala hacia el mundo exterior. El olfato es el primer sentido que detecta el peligro ya que (junto con el oído) sigue funcionando durante el estado de coma. Los problemas de rinitis y sinusitis están relacionados con conflictos de hediondez: «Esto me huele mal», tanto en sentido literal como en sentido figurado (peligro, angustia, inquietud). Dependiendo de la intensidad, durante la primera fase la nariz no funciona (rinitis) y el olfato desaparece; si el sentimiento es aún más fuerte, el resultado es una sinusitis.

• **La faringe**: es la encrucijada donde están las amígdalas, que corresponden al conflicto endodérmico de querer atrapar el pedazo de comida.

• **La laringe**: miedo cerval; grito de socorro.

• **Los bronquios**: peligro en el territorio.

• **Los alvéolos:** miedo a morir.

• **Músculos de los bronquios y la laringe (asma):** conflicto respiratorio vivido de manera motriz: «Quiero y no quiero un espacio; quiero y no quiero gritar».

• **La pleura:** protección de los pulmones y los bronquios. Corresponde al conflicto: «Debo protegerme el tórax».

El aparato digestivo

Los conflictos que afectan al aparato digestivo generalmente están relacionados con todo lo que se puede reunir bajo el término genérico de *pedazo*: el pedazo a atrapar, a ingerir, a asimilar y a eliminar.

• **La lengua:** el sabor de las cosas. «La vida ya no tiene buen sabor.» Si este músculo se ve afectado, se desarrolla una desvalorización relacionada con el hecho de utilizar la lengua para, por ejemplo, hablar.

• **Las encías:** «Mi palabra ya no tiene importancia».

• **Los dientes:** «No tengo derecho a ser agresivo; no me permito ser mordaz».

• **El esófago:** está formado por dos partes. La parte superior (ectoblástica) corresponde al conflicto: «Me imponen algo, me atiborran como a un animal y no me apetece lo que me imponen, no puedo aceptarlo pero me veo obligado a tragármelo»; y la parte inferior (endoblástica), que corresponde al conflicto inverso: «Quiero atrapar el pedazo, pero no lo tengo».

• **El estómago:** está formado por dos partes. La pequeña curvatura: «Contrariedad en el territorio. Me imponen a alguien a quien no puedo tragar». Úlceras. Y la gran curvatura: conflicto de escasez + conflicto indigesto (comportamiento inaceptable).

• **El intestino delgado:** conflicto de escasez (más profundo) + conflicto indigesto.

• **El colon:** conflicto de «suciedad». Cuanto más profunda es la enfermedad, más grave es el conflicto. En la primera parte del colon, se trata de conflicto de «engaño». Cuanto más cerca al sigmoideo, se trata de «cochinadas», «malas jugadas», marranerías cada vez más «asquerosas» y «podridas», hasta llegar al sigmoideo y al recto, donde los conflictos son tan desagradables que la única solución es evacuarlos. Existe esta coloración suplementaria de querer evacuar.

• **El recto:** la parte final (ectodérmica): conflictos de identidad dentro del territorio. «Estoy al límite, mi lugar no está dentro de este territorio.» (Hemorroides en fase de reparación).

• **El hígado (masa):** un conflicto de miedo a la falta de comida, de lo esencial para sobrevivir.

• **El páncreas:** tiene la misma coloración que el hígado, pero con un vacío en la parte superior. Son los conflictos más intensos y, a menudo, están relacionados con la familia y con el dinero.

• **Vías biliares:** conflicto de cólera, rencor e injusticia.

• **El peritoneo:** (protección de los intestinos y del abdomen). Miedo por los órganos abdominales.

• **El apéndice:** dentro del gran tubo que es el aparato digestivo, que va desde la boca al ano, existe un pequeño callejón sin salida: el apéndice. La descodificación de este órgano corresponde a los conflictos de engaño, un pequeño «castigo» vivido dentro de un callejón del que no se puede salir. Un ejemplo: una niña sufrió un ataque de apendicitis y estuvo a punto de ser hospitalizada. Mientras su madre le hacía preguntas, ella le confesó el drama que había vivido en clase. Se sentaba en primera fila, porque le gustaba ver bien la pizarra. Al fondo de la clase había un niño muy gamberro y la profesora, para controlarlo mejor, lo puso en el sitio de la niña, que se vio relegada a la última fila de la clase, algo que vivió como un castigo, un acto de alienación contra el que no podía hacer nada. A los pocos minutos, después de haber explicado la historia, el dolor empezó a ir a menos; una hora después, se levantó y empezó a caminar. Al final, no la tuvieron que llevar al hospital.

El aparato renal

Función general: eliminar los deshechos, filtrar la sangre.

• **Los riñones:** están formados de varias partes. El parénquima corresponde a cualquier conflicto relacionado con los líquidos: inundaciones, lluvias torrenciales, tormentas, ahogamientos, alcoholismo, etc. Los conductos recolectores de orina son los conflictos de derrumbamiento de la existencia. El choc se vive como una pérdida de referencias, una destrucción. Nos sentimos desbordados: «Es demasiado».

• **Las cálices, la pelvis renal, el uréter y la vejiga:** (mucosa, ectoblástica.) Son conflictos relacionados con la delimitación del territorio. Cada mañana, el leopardo recorre varios kilómetros para marcar los límites de su territorio. Este conflicto es masculino. La hembra sufre más conflictos de organización en el interior de los límites del territorio. El hombre construye el muro alrededor de la vivienda, pone barreras, setos, etc. La mujer planta los geranios en las jardineras de la ventana y coloca los gnomos de porcelana en el jardín. Ella organiza el interior del territorio.

• **Mucosa de la vejiga:** parte endoblástica, es decir, conflicto de deshonra, de «suciedad» dentro del territorio.

El aparato reproductor (sexual y hormonal)

• **Las gónadas** (ovarios y testículos): la parte germinativa, que produce los óvulos o los espermatozoides, corresponde a un grave conflicto de pérdida: de un hijo, de un conocido. La parte intersticial, responsable de la producción hormonal, tiene una coloración de desvalorización, de golpe bajo, en la temática semisexual: una mujer engañada por el marido, un hombre insultado por la novia, etc. Son conflictos feos, que desvalorizan y culpabilizan. Se produce una pérdida en la relación afectiva, sexual o sentimental.

• **Las trompas uterinas:** conflictos sexuales feos. Una mujer se siente atraída por el marido de su mejor amiga.

• **La próstata y la mucosa del útero:** familia fuera de las normas; familia en el sentido amplio de la palabra. Puede tratarse de prácticas sexuales que nos reprochamos, que vivimos por identificación. Una violación, la homosexualidad, el matrimonio con un extranjero, relaciones sexuales extramatrimoniales. También encontramos conflictos de pérdida respecto a los nietos. Una función de la próstata es fabricar espermatozoides; así pues, se trata de relanzar la función sexual para perpetuar la especie.

• **El cuello del útero:** frustración sexual.

• **El músculo del útero:** desvalorización relacionada con la familia o el embarazo.

• **La vagina:** conflictos de frustración relacionados con el acto sexual.

• **Las glándulas de Bartolino:** miedo del deseo propio, miedo a que el otro no descubra su deseo sexual.

• **El seno izquierdo:** es el seno que la mujer diestra presenta en primer lugar al bebé. Está implicado en las relaciones madre-hijo. Es el eje vertical de las relaciones. La **glándula** que produce la leche está relacionada con los conflictos de maternidad. «El otro está en peligro, no está seguro, tengo que fabricar más leche para alimentarlo (mastosis, nódulos).»

• **El seno derecho:** el que la madre presenta en segundo lugar. Corresponde a las relaciones horizontales (marido, hermanos, amigos cercanos).

• **Canales galactóforos o intraductales** (ectodérmicos): la epidermis, se corresponde con los conflictos de separación. A través del seno izquierdo, una mujer se siente apartada de su hijo, en sentido literal y figurado (incomunicación, incomprensión). En el seno derecho aparecen los conflictos de separación en las relaciones horizontales. Para la mujer zurda, los conflictos son los mismos, aunque cambiados de lado. Es decir, el seno derecho se corresponde con las relaciones verticales y el seno derecho, con las horizontales.

• **La glándula del tiroides:** el tiroides es el órgano del tiempo y se descodifica en caso de emergencia. «Tengo que hacer esto ya; tengo que coger aquéllo ahora mismo.» El nódulo del tiroides fabrica más tiroxina, la hormona que acelera el metabolismo del cuerpo humano y aumenta las posibilidades de atrapar el pedazo de comida. En el tiroides también quedan vestigios de canales de excreción de la tiroxina, que corresponden a los conflictos más elaborados del ectodermo: conflictos de impotencia frente al peligro.

• **La glándula de la hipófisis, adenohipófisis:** es la responsable de la fabricación de dos hormonas: la hormona del crecimiento, que podrá provocar síntomas de gigantismo o, por el contrario, de retraso en el crecimiento. La acromegalia corresponde al conflicto: «No me siento a la altura y, para compensar, impresiono». Es el conflicto de la jirafa: para atrapar el pedazo, hay que ser más alto; como el niño que repite curso y sufre el conflicto de no estar a la altura. Corre el riesgo de bloquear la fabricación de hormonas del crecimiento. La hipófisis también fabrica hormonas que favorecen la lactancia. Es una variación del mismo conflicto: «Tengo que estar a la altura para poder alimentar a mi familia».

• **La glándula corticosurrenal:** conflicto de dirección. Sentimiento de estar perdido, de haberse perdido, de haberse caminado en la dirección contraria. Blancanieves, perdida en el bosque, perdió todas las referencias, estaba lejos de casa y no sabía a dónde ir. El gran síntoma de este conflicto es un intenso cansancio y vemos cómo Blancanieves, exhausta, se queda dormida en el bosque. Este conflicto marca una excepción en la biología: en este caso, la primera fase es de un intenso cansancio (en lugar de un intenso estrés) y, en la fase de reparación, encontramos mucha energía. El sentido biológico de este cansancio es no volvernos a perder en la dirección incorrecta. El hecho de sentirnos agotados hace que dejemos de caminar y, por lo tanto, que no nos perdamos.

Metáfora del mundo animal: el conflicto del cordero

Nace un cordero. Está feliz de formar parte de la manada, de su gran familia. Como todos los corderos, cuando pace, tiene que levantar constantemente la cabeza para verificar que los demás no se han alejado. Eso le da seguridad porque el grupo entero es muy fuerte, pero él solo no puede defenderse. Un día, mientras pacía en un prado de hierba verde, se olvidó de levantar la cabeza y se quedó solo, perdido, sin saber dónde estaba la manada. En esa situación, la solución biológica es bloquear las glándulas corticosurrenales; es decir, fabricar menos cortisol natural. Gracias a este agotamiento repentino, se ve obligado a quedarse en ese mismo lugar. La única posibilidad de sobrevivir es no alejarse más. Al quedarse en el mismo sitio, cabe la posibilidad que la manada vuelva por el mismo sitio o que el granjero salga a buscarlo cuando se dé cuenta de que no está con la manada.

• **El páncreas:** órgano compuesto por tres partes. La parte endodérmica (arcaica), el parénquima, corresponde al conflicto de miedo a las carencias. La parte ectodérmica (elaborada), los canales, está relacionada con los conflictos de ignominia. Y los islotes pancreáticos, que fabrican las hormonas, las células Beta (insulina), se corresponden con un sentimiento de miedo, de peligro al que nos resistimos: «Me preparo para la acción pero no paso al acto (hiperglucemia)». La otra hormona, el glucagón, corresponde al conflicto de miedo + repugnancia, desagrado (hipoglucemia).

El aparato sensorial

• **La nariz, el olfato:** conflicto de hediondez.
• **La lengua:** conflicto de pérdida de sabor de la existencia.
• **El ojo:** conflictos de miedo/temor. Hay muchos conflictos posibles relacionados con el ojo, tantos como tejidos. Problemas de retina: «Es insoportable ver esto», rechazo a ver la realidad. Problemas de la visión (miopía,

presbicia, etc.): miedo en la nuca, por detrás, temor. Conjuntivitis: conflicto de separación, perder los ojos.

El ojo es un buen ejemplo de **doble entrada biológica.**

El choc se puede vivir en una tonalidad visual, aunque también de separación: conjuntivitis.

Visual + peligro: miopía, presbicia.

Visual + rechazo: ceguera.

Visual + motor: estrabismo, caída de párpados, temblores de párpado.

• **La oreja:** sordera, acúfenos. «Es insoportable escuchar esto o aquéllo.» Tímpanos y trompa de Eustaquio: conflicto arcaico de querer atrapar el pedazo, una frase, una palabra, una información auditiva (otitis).

• **La piel:** está formada por tres capas. La epidermis, la capa más superficial, afectada por los conflictos de separación (eczema, soriasis). La dermis, que contiene la melanina; conflictos de deshonra, de ataques a la integridad. La hipodermis: desvalorización estética (acné, lipomas).

• **Los dolores y la sensación de quemadura en un órgano sin ninguna lesión, neurinomas:** correspondientes al conflicto de contacto forzado. «No quiero estar en contacto con esta persona y, sin embargo, me veo obligado a ello.»

El aparato locomotor

Este aparato se ve afectado por los conflictos de desvalorización.

• **La médula ósea:** La desvalorización más profunda nace del centro del hueso. En el corazón hay sangre, glóbulos rojos, blancos y plaquetas que fabrican la médula ósea. Lo que hay en el corazón del ser vivo sale del corazón del hueso. Las mayores desvalorizaciones, que afectan al propio sentido de la existencia, provocan anemias, deficiencias en la fabricación de los glóbulos o las plaquetas, leucemias. Estas desvalorizaciones suelen estar relacionadas con la familia.

• **El hueso:** desvalorizaciones importantes. Descalcificación, osteoporosis.

• **El cartílago óseo:** desvalorización relacionada con el movimiento (habilidad, eficacia de movimientos).

• **Los tendones y los ligamentos:** «Haga lo que haga, no lo conseguiré nunca».

• **Los músculos rojos:** desvalorización respecto a sus competencias físicas. «No soy capaz de pelearme, de defenderme, de correr…»

El aparato cardiovascular

• **Las arterias coronarias:** conflicto de pérdida de territorio.
• **Las venas coronarias:** conflicto de frustración sexual. «El macho no me elige.»
• **Las arterias cerebrales:** conflicto de pérdida de territorio intelectual.
• **El músculo cardíaco:** desvalorización relacionada con las capacidades del corazón.
• **El pericardio:** miedo por el corazón, miedo a un infarto.
• **Las venas:** conflicto por tener demasiados problemas que resolver (varices, flebitis).
• **La hipertensión arterial:** conflictos relativos a los líquidos (ver el riñón).
• **El bazo:** miedo por la sangre, a perderla, miedo a las transfusiones.
• **El sistema linfático (vasos y ganglios):** sentimientos de angustia + desvalorización, con la coloración particular de la parte del cuerpo donde esté el ganglio. Por ejemplo, si aparece uno en el hombro izquierdo, el conflicto será de desvalorización + angustia relativa por un niño; si aparece en las rodillas, será de desvalorización + angustia en el terreno deportivo.

Los ganglios linfáticos que están entre los pulmones y el cuello se corresponden a un conflicto ectodérmico de miedo frontal, miedo a la enfermedad, a los medicamentos, al cáncer, al sida, etc.

5. El complejo de Procusto

En los cursos que doy, siempre explico una adaptación libre de la historia del complejo de Procusto, porque es una bonita metáfora de una tendencia que todos tenemos y de una tentación a la que hemos de prestar especial atención, tanto como practicantes como investigadores.

Procusto, a veces llamado Sillis, es un personaje de la mitología griega. Era un bandolero que trabajaba de mesonero. Estaba convencido de que todos los hombres en la Tierra tenían que medir lo mismo, 170 cm. Él mismo medía 170 cm. Y se daba cuenta que no todos medían lo mismo, pero estaba convencido de tener razón: los que sobrepasaban esa altura es que se habían equivocado, se habían olvidado de dejar de crecer. Y los que no llegaban también se habían equivocado, sencillamente se habían olvidado de crecer. En realidad, los hechos no contradecían su creencia de base.

Por consiguiente, en las habitaciones de su albergue, las camas medían 170 cm. Durante la cena, mezclaba un somnífero en la bebida de los viajeros de manera que, cuando caían profundamente dormidos, cortaba los pies de los que sobresalían de la cama y, mediante cuerdas y poleas, estiraba las piernas de los que eran demasiado bajos... de modo que, al día siguiente, todos medían 170 cm.

Todos nosotros, sea cual sea nuestra disciplina, corremos el riesgo de vivir el complejo de Procusto de manera inconsciente.

Esta metáfora sirve para ilustrar a la perfección la reducción del ser a una medida convencional, «la perversión del ideal en conformismo. Es un símbolo de la teoría ética e intelectual que ejercen las personas que no toleran las acciones y las opiniones de los demás, excepto cuando coinciden con sus propios criterios».[28]

«La incertidumbre de los conocimientos, en sí misma, no tiene nada de grave ni de reprensible. Lo que es grave y provoca, entre otras cosas, la paralización de la curiosidad y el rigor de los médicos, es que cualquier verdad siempre se presente como absoluta y definitiva... Todos los médicos, incluso los especialistas, que están lejos de ponerse de acuerdo entre ellos, están tentados a considerar como definitivamente verdadero lo que hayan creído como tal o un día les hayan presentado como tal. Y cuando se cree, siempre se tiene razón... Las certidumbres son cárceles de oro, pero cárceles a fin de cuentas.»[29]

Para validar nuestras creencias, médicas o de otro tipo, intentamos que los pacientes entren en nuestro propio cuadro de referencia. Esta actitud es consecuencia de no escuchar al paciente, lo que nos lleva a diagnósticos incorrectos y a hacer falsas asociaciones en la lectura de los síntomas. También puede haber desconfianza en el otro y en sus recursos.

28. Chevalier y Gheerbrant, *Diccionario de los símbolos*, Herder, Barcelona, 1988.
29. Bensaid, N., *La lumière médicale: les illusions de la prévention*, Seuil, París, 1982.

A veces, este complejo también viene inducido por los pacientes, que sienten la necesidad de complacer al terapeuta o que no se atreven a contradecirlo.

El médico deberá recordar en todo momento que, entre él y el paciente, siempre será éste último el que tendrá razón: el síntoma está en él, el origen y la solución. Las causas que mantienen el síntoma también están en él, así como el camino que conduce a su curación. A pesar de nuestras creencias médicas, tenemos que estar abiertos al sentido del paciente. Tenemos que ser curiosos y estar atentos a todas las novedades, porque todavía nos queda tanto por descubrir…

Ejemplo

Se realizó un estudio sobre la relación entre la lactancia materna y los eczemas.[30] Los resultados demostraban que los niños a los que destetaron antes del año sufrían un eczema con más frecuencia que aquellos que mamaron más tiempo del seno materno. Los autores extrajeron la conclusión que en la leche materna debía haber un anticuerpo que protegía a los niños contra las manifestaciones eczematosas. Esta conclusión refleja, en mi opinión, un complejo de Procusto. Dichos resultados se pueden interpretar de otra manera. Dentro del marco «mi propio complejo de Procusto» yo diría, sin ninguna duda, que los niños a los que han destetado antes sufren un conflicto de separación, que afecta a la epidermis, y provoca el eczema. Desde mi punto de vista, lo que se busca no está tanto en la leche materna como en el sentimiento del niño.

Hasta 1995, todo el mundo decía que el sol provocaba cáncer de piel. Sin embargo, un estudio demostró que «el melanoma puede aparecer en lugares que no están expuestos al sol y que, en la mayoría de casos, está situado en zonas del cuerpo que quedan ocultas a los rayos del sol, y no en la cara o en la mano, por ejemplo. En Japón, el 40 % de cánceres de piel del pie aparecen en la planta. En Escocia, la incidencia de los melanomas en los pies es cinco veces superior a los melanomas en las manos. Además, la incidencia de los melanomas es diez veces mayor en el norte de Escocia que en las islas mediterráneas. La proximidad del ecuador no implica un aumento en la incidencia de este tumor».

30. Cf. «Le quotidien du médecin», 23-10-1995.

Por lo tanto, podemos hablar de Procusto cuando afirmamos que el sol provoca cáncer de piel. Es una relación de causa-efecto que, en realidad, es arbitraria.

Y para concluir, quisiera ofrecerte una perla en la materia: en 1929 se afirmaba, muy seriamente, que «todos los tumores, cancerígenos o no, benignos o malignos, aparecen en el ser humano como consecuencia de la sífilis […] Cuanto más antigua es la sífilis, más cancerígena es [...] La célula cancerígena es una producción sifilítica […] La lucha contra el cáncer se reduce a la lucha contra la sífilis […]», etc.[31]

6. La tierra feliz de «Milady»

«Antes del diálogo está la escucha, y antes de la escucha está la tolerancia.»

J. J. ROUDIÈRE

«Quisiera hablarte, tengo la cabeza llena de cosas por decirte pero, cuando estás aquí, no me salen las palabras. Cuando te tengo cerca, el juego me parece insípido, poco importa, seguro que te lo digo la próxima vez. Si te parezco desagradable, no pienses que lo hago adrede, soy yo que lo enredo todo. Quisiera hablarte, todo es complicado, no sé por qué, poco importa, puedo esperar, tengo tiempo. A veces me gustaría conocerte mejor, entonces podría decirte lo que pienso y explicarte, a lo mejor entenderías…»

JOHN LENNON

«Say the word and you'll be free… [Di la palabra y serás libre…]»

JOHN LENNON

31. *In Revue Aristote*, «Science et Médecine», sept-oct. 1929, núm. 33.

«Try to realise it's all within yourself, no-one else can make you change… When you've seen beyond yourself, then you may find peace of mind is waiting there, and the time will come when you see we're all one, and life flows on within you and without you. [Intenta ver que todo está dentro de ti, nadie más puede hacerte cambiar... Cuando ves más allá de ti mismo, descubres que la paz mental está esperándote y llegará el día en que te darás cuenta de que todos somos uno, y que la vida fluye en ti y a tu alrededor.]»

GEORGE HARRISON

Fig. 34: Comunicar.

El primer objetivo de este libro es, obviamente, ayudar a los lectores a descifrar y curar los síntomas que expresan, al mismo tiempo que se establece la relación causa-efecto entre el origen del mal y en mal en sí mismo.

El segundo objetivo es permitir tomar conciencia de las bombas con mecanismo de relojería que tenemos en el inconsciente y que pueden explotar con ocasión de un conflicto desencadenante, en nuestra historia como en la de nuestros antepasados.

Por último, el tercer objetivo es profiláctico: consiste en anticiparnos para no dar pie a nuevos conflictos programados. Sufrimos todos los conflictos, sorpresas desagradables, y se trata de conseguir que no se impriman en nuestra biología.

En una época en la que se «objetiva» a las personas y en la que se personaliza a los objetos otorgándoles valores inestimables, en la bolsa o en otro foro, a veces incluso tratándolos con más cuidado que si fueran seres humanos, la audacia de nuestras palabras es querer «persunificar» al ser humano: personalizar a las personas, unificando al ser vivo dentro de su cuadripolaridad fundamental.

Nuestra actitud frente a la medicina clásica no es polémica, sino complementaria; cada uno en su casa, en su disciplina, tratando de hacer lo más provechoso para el presente y el futuro de los pacientes de manera consciente.

La actitud terapéutica

Hasta ahora, los elementos de reflexión acerca de la terapia han marcado este libro, elementos que puedes encontrar en las páginas: 9, 51, 71, 78, 79, 80, 81, 84, 88, 89, 92, 94, 107, 108, 109, 115, 116, 118, 126, 131, 133, 146, 174, 181, 186, 187, 188, 190, 191, 195, 197, 202, 204 y 215.

A continuación, te presento algunos elementos complementarios para ayudarnos a curar nuestro cuerpo mediante su primer doctor: él mismo.

Descubrir

«Descubrir el/los choc/s es lo más importante: hay que tomarse todo el tiempo del mundo.

El choc es el elemento principal, el punto de unión. Detrás de cada caso, tenemos que reconstruir escrupulosamente el choc con todos los detalles. Tenemos que transponernos en la situación específica de la época. Entonces, podremos entender por qué ese problema ha afectado a alguien en forma de conflicto biológico, por qué fue tan dramático, por qué esa persona no podía hablar de ello, por qué no se propuso ninguna solución en aquel momento. Tenemos que, en un momento, identificarnos con un niño, una chica, un anciano o incluso con un feto, en la situación de aquella época, para poder diferenciar entre un problema y un conflicto biológico… Descubrir el choc, la visión subjetiva del problema y definirlo concretamente a los tres niveles…»

DOCTOR HAMER

El choc es como el equivalente a una imagen congelada. Visto así, también permite comprender por qué los síntomas se localizan en determinado punto.

Los sueños

El conflicto, incluso cuando está en equilibrio, favorece a una obsesión que a veces se expresa mediante los sueños, porque se activa la parada cerebral. Durante el sueño, el conflicto sigue activo, con todas las consecuencias en los cuatro niveles. Hay que conseguir que los pacientes los expliquen.

• Este consejo es para las mujeres y los hombres enfermos, con una patología importante, durante un etapa intensa de su historia horizontal y vertical, que hayan decidido recuperar la salud: «¡No estás curado/a, sino en curación, en convalecencia!».

Moralmente

• No dejarse llevar nunca por el pánico.

• Estar atentos al **sentimiento emocional** (y a los sueños) para descubrir el mínimo conflicto nuevo y hablarlo de inmediato y con total normalidad.

• No identificarse con el desdichado (a menos que hayamos decidido seguir enfermos y perder toda la eficacia).

• No culpabilizar a nada ni a nadie; por lo tanto, ¡no seas tan orgulloso!

• Evitar estar solo.

• Sin embargo, siempre tendremos que escoger bien a las personas que nos rodean. Así, debemos evitar las que se amedrentan, desvalorizan, desestabilizan y no han entendido los principios de la salud.

• Dar prioridad a cualquier contacto que nos dé seguridad para hablar de proyectos y de lo que va bien.

• No sentirse juzgado; el otro no habla de ti, sino de él mismo.

• El régimen alimentario, el tratamiento y el diagnóstico tienen la importancia que quieras darles; eres el dueño de tu curación.

• Sólo importa el conflicto.

• Cualquier curación es un nuevo aprendizaje con consecuencias emocionales y jamás puramente intelectuales.

Dar prioridad al descanso

• Cada noche debemos hacer balance del día: «¿No he trabajado mucho hoy?». Si la respuesta es afirmativa, deberemos descansar al día siguiente.

• Rechazar el enfrentamiento con cualquiera, dándole cita para dentro de un año, desviándolo hacia sus responsabilidades y explicándole: «Necesito de tu ayuda, no de tu oposición permanente».

• Comer comida sana y rica en proteínas (como en el caso de los adolescentes que fabrican tejidos), sin complejos ni inquietudes sea cual sea el tipo de alimentación escogida (macrobiótica, omnívora, vegetariana, etc.); la creencia de tener una buena alimentación nos cura más que lo que ponemos en el plato.

• Cuidarse normal y tranquilamente en caso de cualquier pequeño problema.

• Esperar pacientemente el auténtico retorno al estado normal echando mano de todos los medios posibles de descanso, recuperación y sin asombrarse de los grandes o pequeños problemas necesarios para la curación (fiebre, dolor de cabeza, infecciones, crisis épicas, fatiga, hipoglucemia…).

• En caso de un gran disgusto:
— Remedio Rescate del doctor Bach.
— Beber poco.
— Hielo en la cabeza.
— Cabeza hacia atrás.

• Otros consejos de Michel Moirot, extraídos de su libro precursor, *Origine des cancers*:

1. Saber a partir de qué choc, vivido como irreversible, se desarrolló el síntoma... [choc, conflicto desencadenante].

2. Estudiar en el pasado hacia qué edad los pasajes de estrés específico (y los fantasmas aferentes) pudieron iniciar un bloqueo, una llamada al mutismo, un encierro en uno mismo posterior al sentimiento de ser rechazado... [conflicto programado, vivido desde el aislamiento].

3. Dejar que el enfermo sea consciente de la importancia de su emoción-choc, y permitir que comprenda cómo reacciona ante los acontecimientos que ha seleccionado... [el sentimiento].

4. Evaluar la capacidad del individuo de tener fantasmas de manera negativa, culpabilizadora, respecto a lo que le pasa... [creencia limitadora].

5. Guiar al paciente hacia la responsabilización de su vida. No recibe un castigo de Dios, de la sociedad o de sus propios actos; sólo es una víctima de él mismo, de sus propias fantasías.

Terapeuta
RECUERDA

Recuerda que el mejor lugar para atender
a los pacientes es la consulta.

El mejor profesor es el paciente.
El mejor libro es lo que sale de su boca.
El mejor remedio está en él.
Y la enfermedad es lo que mejor lo cuidaba
hasta que te encontró.

Respeta todo eso.
La consulta.
El paciente.
Sus palabras.
Su enfermedad.

Y te curarás de tu necesidad de cuidar,
de llenar tu vacío.

Vale más escuchar que hablar demasiado,
vale más ser curioso que estar demasiado seguro de uno mismo.

Porque, muy a menudo, el cuidador se cuida
poniendo enfermo al otro.

Tienes que saber que no sabes nada y lo sabrás todo.

QUINTA PARTE

Por encima del choc, el sentido

Por encima del vástago, el proyecto

Por encima de la descodificación psicobiológica, los descubrimientos de Marc Fréchet

Nuestro sujeto no tiene ningún problema, sólo tiene recuer-
dos que lo justifican de todas las proyecciones y los reajustes.
MARC FRÉCHET

No todo el mundo reacciona igual frente al mismo choc. Cada uno tiene un sentimiento específico, personal y presentará síntomas diferentes o no presentará ninguno.

Entonces, ¿qué es lo me marca la diferencia?

Acabamos de estudiar la parte que va, por decirlo de alguna manera, del choc a las consecuencias. Hemos ido río abajo. Ahora tenemos que remontar las aguas hacia el choc para poder entender por qué tal conflicto se vivió de tal manera, y precisamente con ese sentimiento y no otro.

El psicólogo clínico parisino Marc Fréchet ha curado a cientos de personas aquejadas de todo tipo de patologías (especialmente cánceres y esclerosis en placas), trabajando únicamente sobre la vivencia y el sentimiento por encima del conflicto desencadenante. Creo que ha encontrado un método para descubrir los conflictos programados, las piedras angulares del sufrimiento.

Ha descubierto varios principios que se inscriben dentro de esta visión reunida del ser vivo y que condicionan al individuo a vivir los acontecimientos de esta o aquella manera.

De entrada, hay que aclarar que Marc Fréchet jamás consideró los fenómenos que iba descubriendo como leyes inmutables o absolutas. Solía hablar de tendencias o inclinaciones y siempre animaba a ser curiosos y seguir investigando.

Ciclos biológicos celulares memorizados

Si atamos un hilo de acero a dos postes y lo hacemos vibrar, emite una nota musical, un do, por ejemplo. Si lo cortamos en dos, seguirá dando un do, aunque una octava más alto. Si lo volvemos a cortar en dos, seguirá dando la misma nota, y así sucesivamente.

Es la metáfora de un fenómeno verificado millones de veces. Cuando un acontecimiento que nos marca, un conflicto, no se soluciona, puede generar un ciclo. Ese acontecimiento, o esa misma coloración conflictiva para acontecimientos distintos, podría revivirse al doblar la edad del primer estrés. Por ejemplo, un conflicto sufrido, y no solucionado, a los cinco años, tendrá tendencia a repetirse a los diez, a los veinte, a los cuarenta, a los ochenta, siempre que no se solucione.

Una de las señales que nos conduce a la exploración de este tipo de ciclos es la diferencia entre el acontecimiento y el síntoma. Si un acontecimiento provoca una patología seria, podemos sospechar que se ha reactivado un antiguo conflicto importante que no se había solucionado y estaba oculto.

Estudio de un caso

Una paciente de 56 años vino a mi consulta por un cáncer de pelvis. Sufría una desvalorización sexual porque su marido la rechazaba. Al preguntarle si le había pasado algo cuando tenía la mitad de años que ahora, es decir 28, descubrimos que su jefe la sedujo y mantuvieron varios encuentros sexuales. Este hombre le había declarado su pasión, hacía ver que la quería con locura y que quería rehacer su vida con ella. Más tarde, la chica se enteró de que este individuo era un ser perverso que hacía lo mismo con todas las empleadas. Vivió ese episodio como una profunda desvalorización sexual. En la mitad precedente, a los 14 años, un día sorprendió a su padre manteniendo relaciones sexuales con una amante en el tren. Otra vez, desvalorización sexual. A los siete años, iba a una escuela de monjas. Un día, una hermana les preguntó qué querían hacer de mayores, y ella respondió que quería casarse y tener muchos hijos. La religiosa le lanzó una mirada muy seria y le dijo que aquello no estaba bien. Ése fue el conflicto programado de desvalorización sexual. Una vez descubierto y solucionado emocionalmente, la mujer vivió el hecho de que su marido no quisiera tener relaciones sexuales con ella de una manera totalmente tranquila.

Lo que no se había podido solucionar a los siete años, a los 14 se representó más fácilmente bien porque, de manera inconsciente, se sentía «atraída» hacia ese tipo de situaciones o bien porque vivía cualquier tipo de drama a través de aquel raíl, de ese sentimiento particular. Así, por ejemplo, si el conflicto programado a los siete años hubiera sido uno relacionado con la indigestión, a los 14 habría vivido de manera indigesta el episodio de su padre.

A los 14, el conflicto reapareció para que pudiera solucionar el nodicho de los siete. Al no hacerlo, a los 28 se vio otra vez atraída por este fenómeno o sentimiento.

Es como un reloj biológico interno que se acuerda de todo lo que vivimos y, sin que pensemos en ello de manera consciente, hace que el conflicto reaparezca para que lo solucionemos. Como decía C. G. Jung: «Todo lo que no llega a la conciencia, regresa en forma de destino» y «Lo que el yo no consigue incorporar es patógeno».

También hay que destacar que esta tendencia del ser vivo a reproducir las mismas actitudes al doblar la edad se verifica tanto por los chocs como por los acontecimientos positivos.

La toma de conciencia de estos esquemas de repetición es la primera solución terapéutica y, en la mayoría de casos, basta para detener el proceso.

Casos clínicos

— Cuando tenía cuatro años, los padres de Y se divorciaron. Perdió a su padre y se fue a Islandia. Al doblar la edad, a los ocho años, volvió de

Islandia. Perdió todas las referencias y tuvo la sensación de haberlo perdido todo. A los 16, su hermano mayor se marchó de casa para trabajar de funcionario lejos de ella. La chica empezó a encontrarse mal consigo misma y presentó problemas de alimentación.

— A los siete años, la señora F vivió una mudanza de manera muy trágica, como una profunda pérdida. A los 14 años, llevó muy mal la primera regla, como si perdiera la infancia. A los 28, con el primer embarazo, vivió muy mal la idea de dar a luz y perder la relación privilegiada que tenía con el bebé mientras lo había llevado dentro. Además, a esa misma edad, su abuela se quedó viuda y ella lo vivió como la pérdida de la vida sexual.

Secuencias de vida y épocas de autonomía

Otro elemento que Marc Fréchet aporta, y que tanto se presenta en términos de ciclos biológicos como de memorias celulares, está relacionado con la época de autonomía. A partir de cierta edad, en determinados momentos, el ser vivo cambia la relación con el mundo exterior. Así, el **paso de la vida intrauterina a la vida «aérea»** es la primera autonomía. En el útero, el ser vivo es totalmente dependiente de la madre para satisfacer todas sus necesidades de oxígeno, alimentación y temperatura. A partir del nacimiento, tiene que respirar por sí mismo y va a tener que aprender a alimentarse por su propia boca. En ese instante, empieza el ciclo de la vida. **Abandona el núcleo materno.**

De adulto, «deja a su padre y a su madre», como describe el Génesis. Se gana la vida y se limpia los zapatos. **Abandona el núcleo familiar.**

Marc Fréchet describió la edad de autonomización como la edad a la que somos capaces de «cazar el mamut» solos; es decir, de satisfacer las necesidades alimenticias con medios propios. Para él, éste era el criterio más importante. Si se cambia de dependencia, como una chica que, al casarse, pasa de depender de sus padres a depender de un marido, aquí el criterio es el cambio de dependencia (el matrimonio). Sucede lo mismo si uno se alista en el ejército, entra en una comunidad religiosa o cualquier otra situación semejante.

En el reino animal también nos encontramos con esta realidad. La osa, por ejemplo, defiende a sus hijos con uñas y dientes. Durante la infancia de los oseznos, la madre emite un grito específico para advertirles de un peligro. Al escucharlo, los pequeños se suben a un árbol y no bajan hasta que escuchan otro grito específico de la madre que les informa que el peligro ya ha pasado. Cuando la madre sabe que los oseznos son biológicamente autónomos, que ha llegado la hora de su independencia, ella misma toma la iniciativa de romper el cordón umbilical por segunda vez. Emite la señal de peligro, los oseznos se suben a un árbol y ella se marcha definitivamente.

En cuanto a los oseznos, colgados del árbol, esperan el segundo grito para descender. Están nerviosos, en fase conflictiva. Hay un peligro y todavía se apoyan en el exterior (la madre) para solucionar el conflicto. En ese momento, tienen que pasar de una referencia externa a una interna. Necesitan tener confianza en ellos mismos y no sentirse más en estado de miedo ni no-miedo, sino seguros. La independencia llega por iniciativa de la madre, la madre del oso, porque ya ha dejado de ser un osezno. Al cruzar esta tercera fase, baja del árbol para buscar su propia comida, dormir, reproducirse, etc. No es extraño que algunos vivan mal esta transición y que atraviesen una pequeña depresión.

A veces es difícil identificar la edad de la independencia: muchas personas, por ejemplo, se van de casa y, al cabo de unos años, vuelven, o trabajan y siguen viviendo en casa de los padres o tienen un piso propio, pero la madre les sigue haciendo la comida. Son personas a las que les cuesta identificar y localizar la autonomía, y es una primera información muy importante. Cuando la autonomización se vive mal, o de manera difícil, puede ser muy útil ver lo difícil que es para una madre «abandonar» a sus hijos.

El periodo entre el nacimiento y la edad de autonomización (por lo general, entre los 16 y los 31 años), forma un recorrido que es como la primera curva de un ciclo. A partir de la autonomización, empieza la segunda curva, en la que la persona va a volver a pasar por las mismas etapas, a rehacer el camino, a revivir lo que ha vivido mal y a conseguir lo que no pudo antes. Otra vez, un reloj biológico inconsciente nos vuelve a poner en situación para que podamos arreglar los conflictos pendientes.

Imaginemos una niña pequeña que, a los 10 años, sufre un drama a causa de una mentira de su padre (una promesa no cumplida, por ejemplo). Si la autonomización le llega a los 20 años, a los 30 años (20 +10) bien encontrará a un hombre mentiroso con el que se casará o bien encontrará a un hombre que, como muchos otros, a veces es sincero y, a veces, mentiroso. Sin embargo, ella sólo presta atención a las mentiras, así que lo dejará, haciéndole vivir lo que nunca pudo vivir con su padre. Y le puede pasar que el hombre en cuestión sea muy sincero y que sólo le mienta una vez. La mujer vive muy mal esa única mentira y le basta para olvidarse de todo lo demás, todo lo positivo. Y también puede pasar que el hombre no le haya mentido nunca, pero puede hacerlo algún día... ¡y ella le monta una escena tras otra porque le habría podido mentir!

Casos clínicos

— Una mujer se casó a los veinte años: autonomización. A los cuarenta años, entró en un nuevo ciclo de vida. Tuvo muchas ganas de empezar a cambiar cosas de su vida. Su marido, que no seguía el mismo ciclo, cayó en una grave depresión y lo ingresaron en una unidad de psiquiatría. Entonces, ella desarrolló un cáncer en el seno derecho. A los cuarenta y siete (40 + 7) años, desarrolló un cáncer de peritoneo porque, desde hacía algunos meses, estaba acatarrada y muy angustiada por lo que pasaba dentro de su barriga.

Si examinamos su pasado siguiendo los ciclos de autonomía, vemos que cuando tenía veintisiete años (20 + 7), se quedó embarazada. El médico le dijo que tenía que cuidarse mucho, porque podría perder el niño que llevaba en la barriga en cualquier momento y le ponían inyecciones cada día. Remontándonos más atrás, a los siete años (0 + 7: conflicto programado), la tuvieron que operar de urgencias de apendicitis. Se quedó sola en el hospital, sin que nadie le explicara nada, y no dejaba de preguntarse angustiada qué le pasaba en la barriga.

— La señora B nació en septiembre de 1931. Su independencia se sitúa en abril de 1950, es decir 18 años y 6 meses después. En octubre de 1968 empieza un nuevo ciclo.

A los nueve años y cuatro meses, sus padres y ella se mudaron. Nueve años y cuatro meses después de su independencia, nace su hijo. Nueve años y cuatro meses después del principio del tercer ciclo, nace su segundo hijo.

La señora B acude a la consulta porque tiene problemas con sus hijos, que no responden a sus expectativas. Dado que, a lo largo de los ciclos, los hijos llegan como la mudanza, le pregunto cómo vivió aquella experiencia. Su respuesta fue muy esclarecedora. Hasta los nueve años y cuatro meses, vivía en el paraíso: vivía al lado de sus primos, sus tíos, sus abuelos... Formaban una gran familia, muy unida. Con la mudanza, tuvo la sensación que la habían echado del paraíso, y le resultó muy duro. Perdió las referencias. De manera inconsciente, quería hijos para recrear aquella vida, aquel ambiente familiar. Evidentemente, sus hijos nunca llegaban a ese ideal. En el fondo, estaba más decepcionada por las expectativas que por los hijos.

— Señora H. Nacimiento: enero de 1940. Independencia: octubre de 1960. Nueva independencia: julio de 1981.

En noviembre de 1985, es decir, cuatro años y un mes más tarde, esta mujer desarrolló un cáncer de ovarios. En el ciclo precedente, en noviembre de 1964 (octubre de 1960 + 4 años y 1 mes), un amigo de la familia había muerto. Un hombre que había sido particularmente importante para ella, cuando, de pequeña, tenía cuatro años y un mes, este hombre se jubiló anticipadamente y se ocupó de ella de manera muy paternal.

Rangos de hermandad

Durante varios meses, Marc Fréchet ha llevado a cabo un experimento muy original: le pidió a un criador de cerdos de la región parisina que marcara, con una señal distinta, al quinto cerdo de cada camada. A continuación, le pidió al criador que hiciera criar a estos cerdos entre ellos y observó qué pasaba con sus descendientes. Se dio cuenta de que los quintos cerdos de su camada, nacidos a su vez de los quintos de cada camada, siempre gozaban de privilegios respecto a los demás: mamaban los primeros, bebían más leche que los demás, eran los más fuertes y la madre siempre los defendía. Repitió el experimento una decena de veces, con decenas de parejas distintas, y siempre sucedía lo mismo (el número cinco fue aleatorio y no tenía ningún significado en especial).

Caso clínico

Marc Fréchet recibió en su consulta a una pareja que no conseguía tener un hijo. El hombre era el quinto y último hijo, igual que su mujer. Acudieron a él después de cuatro abortos. Allí tomaron conciencia de que su drama de infancia había sido haber heredado la ropa vieja de sus hermanos, los libros usados, etc.

Después de cuatro abortos consiguieron tener un hijo: en realidad, empezaron por el quinto, habiendo eliminado simbólicamente los cuatro primeros. Primero se «parieron» a ellos mismos como quintos hermanos y, después, tuvieron cuatro hijos más.

Estos rangos de hermandad están basados en una regla de tres:

```
1        2        3
|        |        |
4        5        6
|        |        |
7        8        9
...
```

Existe una afinidad, incluso un parecido, entre el primero, el cuarto y el séptimo hijo; igual que entre el segundo, el quinto y el octavo, etc. Lo que se demuestra verdadero en las relaciones horizontales (hermanos), también se suele verificar a nivel de las relaciones verticales (padres-hijos).

Si, por ejemplo, en una familia el padre es el hijo mayor y la madre la segunda hija, y tienen dos hijos, se puede observar la inclinación del padre a favorecer al mayor y de la madre a favorecer al segundo.

Si la madre es la tercera hija y tiene un problema con el hermano mayor, es posible que el conflicto repercuta en su primer hijo, o que haga una interrupción voluntaria del embarazo en su primer hijo.

Insistimos en que esto no es una ley, sino una tendencia, una inclinación. Los hijos que tengan tal rango de hermandad tenderán a identificarse con el programa del padre, el tío o la tía con quien compartan rango de hermandad o rango de hermandad en simpatía. Un niño que es el hijo mayor, estará muy a gusto con los tíos y tías que sean los primeros o cuartos hijos en su familia.

Ejemplos

— Los señores J son ambos hijos únicos. Tienen tres hijos. Adoran a la hija n.º 1 e ignoran a la n.º 2 y la n.º 3. La hija n.º 3 tiene dos hijos y, en este caso, adora al n.º 2 e ignora al n.º 1. Se venga con su hijo n.º 1.

— El señor T es el n.º 3 y su mujer, la n.º 1. Tiene dos hijos. El n.º 1 es brillante, trabaja mucho en clase. Es el ojo derecho de su madre, que también fue muy buena alumna. El hijo n.º 2 no tiene a nadie como referencia y ni el padre ni la madre se ocupan de él hasta la adolescencia.

Más tarde, el hijo n.º 1 tiene un hijo n.º 1, del que se ocupa mucho.

El hijo n.º 2 tiene una hija n.º 1, con quien tiene una gran proximidad, una gran amistad, como le sucedió con su madre n.º 1. Con su hijo n.º 2, como él, comparte un gran parecido físico, aparte de una gran proximidad de caracteres. En cambio, tiende a rechazar a su hija n.º 3, como él mismo se sintió rechazado por su padre, n.º 3.

Para el recuento de los rangos de hermandad, hay que tener en cuenta los abortos naturales y las interrupciones voluntarias del embarazo.

Así pues, tomemos por ejemplo el caso de una mujer que ha tenido cuatro embarazos, aunque el primero acabó en aborto. Después, tuvo tres hijas. En realidad, la primera hija es la n.º 2 y la tercera, la n.º 4. Dado que el nº 4 siente afinidad con el mayor (n.º 1), adquirirá el papel de hermana mayor y buscará ser la líder de las hermanas.

Quedémonos, para cerrar este capítulo, con una observación de Marc Fréchet que dijo que, en el caso de los gemelos, el que nace en segundo lugar tiene el rango de n.º 1.

El Proyecto-sentido

«A partir del acontecimiento conceptual, consecuencia de una fusión celular, el sujeto sería la materialización biológica y casi un símbolo de estos dos conceptos hecho uno.»

MARC FRÉCHET

«Los padres se imaginan al bebé antes de verlo, hablan de él antes de escucharlo.»

BORIS CYRULNIK, *Sous le signe du lien*

«La madre no sólo había trasmitido la vida, les había enseñado a sus hijos el lenguaje, les confió el bagaje acumulado a lo largo de los siglos, el patrimonio espiritual que ella había recibido, el pequeño lote de tradiciones, de conceptos y de mitos que forman el rasgo que distingue a Newton o Shakespeare del hombre de las cavernas.»

SAINT EXUPÉRY, *Tierra de hombres*, 1939

Hay personas que vienen a este mundo para obedecer a su madre, otros lo hacen para complacer al padre y otros, sencillamente, para vivir la vida.

Durante la terapia, a veces la anamnesis descubre que al individuo no lo deseaban por él mismo, sino por una misión que inconscientemente ya le habían conferido. Desde el momento de la concepción, parece que le traspasen los deseos de los padres, los proyectos y los conflictos. Es lo que Marc Fréchet denominó el «proyecto-sentido»; agradable a veces, obligado casi siempre. Puede que sea necesario librarnos de él para descubrir nuestra propia identidad y solucionar los síntomas resistentes.

Marc Fréchet decía que el bebé es un hijo, pero que incluso antes de ser un hijo (*jet* en francés) ya era un proyecto (*pro-jet* en francés). Antes de concebirlo, era una idea preconcebida. Es interesante resaltar que los chinos consideran que un ser vivo existe no desde el nacimiento, ni desde la concepción, sino desde tres meses antes de ese momento.

No existe concepción si no existe un deseo de concebir. Este deseo, que corresponde a un proyecto de los padres, puede estar escondido en el inconsciente.

Veamos el ejemplo de una mujer cuyo marido se iba de casa con los amigos todos los fines de semana. Ella se sentía sola. En ella habitaba el **proyecto de contacto** con él. Se produjo la concepción. **El bebé es la solución a los conflictos vividos por la madre durante ese periodo.** El proyecto está inconscientemente dentro del óvulo y el bebé debe responder a él. Es la figura reparadora. Este hijo, al que atendí en mi consulta cuando ya era mayor, precisamente tuvo problemas de contacto. Su vida tradujo el proyecto que él mismo iba a concretizar.

«El hijo surge del acto copulativo que lo engendra disponiendo y deponiendo y, al mismo tiempo que se practica este acto, a él lo inicia, un contenido mental arraigado en el inconsciente colectivo, el inconsciente familiar y un plus que lo diferencia de sus hermanos, formado por el hecho de que él existe a partir de la danza copulativa singular que le ha dado forma, lo prepara como «consecuencia sensible» de los padres en su mundo… Por lo tanto, esta consecuencia no sólo se originaría a partir de la mente de los progenitores sino también a partir del contenido mental específico del instante de esa danza.» Marc Fréchet.

El hecho biológico, el acto sexual, nunca es suficiente para explicar una concepción. Hay tantas mujeres que quieren hijos y son estériles como mujeres que no los quieren y se quedan embarazadas. Hay algo más fuerte que el deseo consciente: el deseo inconsciente. En pocas ocasiones conducimos el coche de manera consciente; a menudo somos pasajeros de nuestra propia vida. Es el inconsciente el que lleva el volante. La terapia permitirá entender quién conduce y, a continuación, hacernos con las riendas.

En cierto modo, los proyectos de nuestros padres nos determinan. Pero esa determinación puede ser una oportunidad, porque lo que nos transmiten son sus soluciones ganadoras, de supervivencia. Para esa mujer, en el momento de la concepción, sólo importa una cosa: el contacto. Le transmite a su hijo ese valor, la importancia del contacto y de la relación, como un tesoro y no como una tara.

Ahora bien, si el proyecto-sentido de los padres puede ser un valor, una solución de supervivencia, también puede limitar. El hijo es la solución de los problemas, de los conflictos, de los deseos de los padres. Siempre heredamos algo: un recuerdo, una historia, secretos de familia, etc. Los hay buenos y menos buenos, menos adaptados. Hay un proyecto-sentido que está ahí. Se puede vivir de manera positiva o negativa. Pero Marc Fréchet no habla de determinismo. Su visión tenía como objetivo permitir que la persona, mediante la toma de conciencia, se liberara. Cuando hemos tomado conciencia de ese proyecto-sentido, somos libres de conservarlo o de eliminarlo.

Caso clínico

Una mujer quería un hijo, pero su marido no quería. Ella se marchó con otro hombre. Durante tres meses, engañó a su marido, que sufría mucho. Un día, él le dijo: «Está bien, tendremos un hijo, pero vuelve que yo te quiero mucho». Ella aceptó, y tuvieron un hijo. El proyecto-sentido que el padre transmitió a través del semen fue: «Ojalá no hubiera habido movimiento desplazamiento». El hijo nació paralítico.

Hay que distinguir muy bien la intención positiva y el medio para obtenerla. Es el único problema. Para este hombre, la intención era que no hubiera movimiento porque movimiento = sufrimiento = tristeza = depresión. Ésa era su intención positiva, aunque el medio sea totalmente reprobable, porque su hijo nunca pudo caminar.

El problema es que **hemos olvidado la pregunta pero hemos conservado la respuesta.**

Hemos olvidado la pregunta, en el terreno de la supervivencia, pero hemos conservado la respuesta, que permanece en el comportamiento. Un comportamiento que puede que sea inútil en el nuevo concepto espaciotemporal, porque «la guerra se ha terminado». No tenemos problemas psicológicos, sólo tenemos problemas de recuerdos. Por lo tanto, existe una dicotomía entre un deseo consciente (o una ausencia de deseo consciente) y lo que sucede en términos de deseo a nivel inconsciente. Sin embargo, el inconsciente siempre es más fuerte.

Veamos otro caso. Un campesino quería un hijo, pero tuvo una hija, y luego otra… ¡hasta ocho! A nivel consciente, quería un hijo. Sin embargo, cuando se le preguntó años más tarde se vio que, a nivel inconsciente, él decía: «Al final, estuvo bien tener hijas, porque el campo es muy duro para un chico». De manera inconsciente, pensaba que era mejor tener hijas.

La concepción se basa, principalmente, en el inconsciente. Sucede lo mismo con las mujeres estériles. A nivel del inconsciente, por una razón invisible, es mejor no tener hijos. Recordemos que, incluso cuando la esterilidad se debe a una disfunción orgánica, el órgano es el que provoca el efecto. Las trompas están taponadas pero, ¿quién controla las trompas? No se trata de culpabilizarse. Como cualquier síntoma, no es una falta, es una solución o una tentativa de solución.

Casos clínicos

— Una mujer había perdido a su hermana y sobrinos en un accidente de tráfico. Años más tarde, quería tener hijos pero, después de ese accidente, en su inconsciente habitaba la creencia que, desde que se tienen hijos, pueden morir… Su inconsciente le provocó la esterilidad. Al tomar conciencia de ello, se liberó. Concibió tres hijos de manera natural.

— Una mujer quería ponerse un dispositivo intrauterino (DIU), pero su cuerpo lo rechazaba sistemáticamente. ¡Tuvieron que administrarle anestesia general para ponérselo! En terapia, surgió el hecho de que tenía un profundo e intenso deseo de tener un hijo porque había fracasado en la educación del primero. No se había ocupado de él y ahora se lo reprochaba a sí misma. Inconscientemente, quería un segundo hijo para demostrarse que era capaz de ocuparse de él. Sin embargo, a nivel consciente, era una tontería, no quería otro hijo.

— Una mujer se hizo una ligadura de trompas porque no quería tener más hijos. A pesar de eso, se quedó embarazada. Al operarla, el cirujano vio que su cuerpo había fabricado un canal con un desvío por encima de la ligadura. Había un deseo inconsciente muy poderoso en ella.

— Un hombre se había hecho la vasectomía. Sin embargo, su mujer se quedó embarazada. Quiso llevarla a juicio, porque creía que lo había engañado, pero se demostró que el señor había fabricado un nuevo conducto.

Sin querer entrar en ninguna polémica acerca del aborto, sino sencillamente hablando desde el punto de vista puramente psicobiológico que nos ocupa, la interrupción voluntaria del embarazo es fruto de la confrontación entre deseos conscientes e inconscientes.

Por ejemplo, hay mujeres que quieren quedarse embarazadas para irse de casa de los padres. Ese hijo significará la libertad. Pero cuando nazca, significará compromiso, una nueva familia, etc. La mujer se convierte en madre, como la suya. Así pues, a nivel inconsciente, en el proyecto, quiere un hijo para irse de casa pero, a nivel consciente, si tiene un hijo será una prisionera de él, así que prefiere abortar.

Del objeto al sujeto: la autonomía

Hasta la primera adolescencia, a los tres años y medio, y después hasta la adolescencia alrededor de los doce o trece años, el niño es una tabla rasa en la que los adultos proyectan sus recuerdos, sufrimientos y deseos. Cuando los padres son conscientes de sus proyectos, si pueden proyectarlos en otra parte, ya sea con un terapeuta, un amigo, un cura o un consejero, entonces podrán mirar a su hijo por lo que es, libres de esos proyectos.

El hijo es, hasta entonces, un objeto (*ob-jet*), un hijo *ob*ediente. Se trata de pasar del objeto al sujeto, es decir, al *su-jet* (*su* es el participio del verbo saber), un hijo que tenga conciencia de sí mismo, que se conozca y tenga sus propios deseos.

En mi opinión, este paso de objeto a sujeto es el objetivo de cualquier psicoterapia. Liberarse del proyecto de los padres, abuelos y otros antepasados. Por eso puede ser necesario un acompañamiento personal, una terapia. Conozco a muy poca gente que haya encontrado su proyecto-sentido sola.

La terapia puede ayudar a algunas personas que sufren un chantaje afectivo según el cual si uno no es el objeto de papá y mamá, no le quieren. Estas personas tienen que tomar conciencia de que sus padres nunca les han querido como objetos. ¡Porque eso nunca ha sido amor! Cuando tienen un hijo objeto, los padres no quieren al hijo, sino a ellos mismos, a sus propios deseos o a lo que les hubiera gustado ser.

«Tengo que resolver mi herencia familiar, y lo hago de manera automática. Es el inconsciente. La toma de conciencia durante la selección de la herencia me hace pasar a mi propio proyecto y dejar de lado la fidelidad.»

MARC FRÉCHET

Mi proyecto surge durante la crisis de la adolescencia. En ese momento, es normal que aparezca un conflicto entre dos proyectos, el de los padres y el mío. Si todo va bien, el proyecto personal del sujeto se convierte en el dominante, toma el relevo mientras que el otro va desapareciendo poco a poco.

El niño tiene que tener permiso para dejar atrás a sus padres, de mejorar lo que han hecho ellos, de ir más lejos. En la crisis de la adolescencia, a menudo se observa que los jóvenes hacen tabla rasa pero, cinco o diez años después, hablan igual que su padre, al que sin embargo habían criticado duramente entonces. Lo envía todo a paseo y enseguida recupera lo que le interesa, en lo que se reconoce, lo que no ha podido eliminar. Tenemos lo que rechaza a nivel consciente y lo que esta persona en cuestión mantiene inconscientemente en términos de aprendizaje.

El paso del proyecto-sentido de nuestros padres por nosotros a nuestro proyecto-sentido personal es, en definitiva, lo que comúnmente se conoce como autonomía. Para el terapeuta, se trata de limpiar, de crear las mejores condiciones para que el grano fructifique, pero él no inventa el grano. Un antiguo proverbio de la Biblia decía: «Los padres comieron el agraz, y los dientes de los hijos sufren de dentera». Y el profeta añadió: «Cada uno por su culpa morirá». Tenemos que liberarnos del proyecto familiar.

El padre de Yehudi Menuhin le dijo un día a su propio padre que quería aprender a tocar el violín. El abuelo de Yehudi se indignó y le dijo a su hijo: «¿¡Cómo puedes pensar en algo tan frívolo cuando han destruido el Templo!?». El padre de Yehudi, que significa «judío», lo llevó a clases y éste aprendió a tocar el violín. Así pues, un judío podía tocar el violín… Ésa fue la respuesta al abuelo.

En el reino animal, hay miles de ejemplos extraordinarios de esta transmisión del proyecto-sentido de generación en generación. Las mariposas Monarcas viven en la costa este de los Estados Unidos. Emigran a México, recorriendo 4.000 km con la ayuda del campo magnético terrestre. Se posan en unos árboles de un bosque mexicano, un lugar insignificante, para pasar el invierno al abrigo del frío. En primavera, vuelven a la costa este de los Estados Unidos. Durante ese largo trayecto, se reproducen y mueren, y así a lo largo de varias generaciones. Para llevar a cabo la emigración, se necesitan entre dos y tres generaciones. Por lo tanto, estas mariposas regresan a un lugar donde nunca han estado, aunque saben cómo ir de manera innata.

La genética es la transmisión de la solución ganadora.

Caso clínico

El señor O duerme mal. Hay algo en su cabeza que no acaba de estar claro. Su padre, herrador de la Bretaña, era un trabajador independiente, aunque las dificultades económicas le hicieron perder esa independencia a los 31 años. El señor O fue concebido poco después. A los 31 años, la misma edad a la que su padre tuvo que cerrar la forja, creó una empresa de pan cocido al fuego de leña. Curiosamente, lo del fuego de leña era algo muy importante para él. Unos años después, también fracasó. El señor O lo vivió como una desvalorización familiar dramática y desarrolló una leucemia.

Secretos de familia

Un hombre que se sentía «muy mal en su propia piel» acudió a varias terapias, sin resultados. Era un coleccionista y tenía dos pasiones: las piedras y las mariposas. Cuando un terapeuta le dijo que hiciera averiguaciones en su familia, descubrió la existencia de un abuelo muerto del que nadie nunca le había hablado. Un hombre que había cometido actos inicuos por los que lo habían enviado a África a «picar piedra», tras lo cual lo habían ejecutado en una cámara de gas. Al coleccionar piedras y asfixiando mariposas en un tarro con cianuro, este hombre expresaba el secreto inconfesable de la familia.

El tema que abordaremos ya ha sido tratado por varios autores, en particular Serge Tisseron, Anne-Ancelin Schützenberger, Gérard Athias y Marc Fréchet.

G. Athias y M. Fréchet introdujeron la originalidad de integrar a esta visión la aportación de la descodificación biológica de las patologías. Según los investigadores, el conflicto programado suele ir unido a una historia familiar secreta. El sentimiento que nace de un acontecimiento-choc, mal vivido por un antepasado, se puede transmitir de generación en generación y provocar síntomas de comportamiento o físicos en un descendiente.

La transmisión inconsciente de un secreto de familia puede concernir:

- el *tema* del secreto,
- el *lugar*,
- el *momento*, provocando en este caso lo que se denomina *síndromes de aniversario*.

En general, las principales temáticas de los secretos de familia son de naturaleza sexual (violación, incesto, adulterio, homosexualidad), semisexual (abortos, hijos fuera del matrimonio, ilegítimos, sin nombre), violenta (muerte, asesinato, tortura) o pecuniaria (robos, fraudes, herencias). Los secretos son algo de lo que no se debe hablar. No se tienen que decir ni que escuchar.

Ejemplos

— Una mujer tenía un vitíligo en el pubis. Era la hermana mayor. Dos primas, igualmente n.º 1 entre sus hermanos, también tenían un vitíligo en el pubis. Al retroceder en la historia familiar, descubrimos que una abuela de las mujeres, n.º 1 también, fue víctima de una violación. El sentimiento era de deshonra sexual, una falta que había que «lavar». La abuela no había desarrollado ninguna patología a consecuencia de la violación, pero sus nietas, las n.º 1, se inscribieron en ese programa.

— A los 45 años, a una señora le apareció un vitíligo en los senos y en el pubis. Un año más tarde, su hermana gemela desarrolló la misma patología. En la historia familiar había un secreto: el abuelo y la tía de las señoras cometieron incesto. Quedó un sentimiento de deshonra sexual.

— El señor C, de 39 años, tenía cáncer de testículos con metástasis en los pulmones. Tenía una hija de nueve años. El pronóstico fue muy desfavorable y, a pesar de todo, accedió a operarse aunque se negó en redondo a recibir quimioterapia.

Al examinar su árbol genealógico, descubrimos que sus dos abuelos murieron a los 39 años; uno de un patada de camello en los testículos (!!!), dejando un hijo de nueve años (el futuro padre del señor C), y el otro gaseado durante la guerra. El señor C reproducía en su cuerpo, por una «lealtad familiar inconsciente e invisible», la muerte de sus abuelos, preparándose para morir a su misma edad y con los mismos órganos afectados.[32]

Es frecuente encontrar fracasos escolares, sobre todo en matemáticas, en las familias con un secreto relacionado con los hijos fuera del matrimonio. En realidad, cada vez que el profesor plantea un problema con una X desconocida, eso les afecta personalmente, les hace vibrar a nivel emocional y les provoca momentos de ausencia.

— Un hombre tenía el nivel de plaquetas en la sangre dos veces por encima de lo normal. Vivía en Bélgica, donde su padre trabajaba de notario y su madre de secretaria. Su padre había sufrido algunos contenciosos graves con sus hermanos y esa separación le dolía mucho. Por un curioso «azar», llamó a su hijo Julien, dicho de otra manera *j'eus des liens et je n'en ai plus* (tengo lazos y no los tengo).

Cuando recibí en mi consulta a este chico de 26 años, lo único que le importaba era formar una familia unida. Era lo más vital para él, una evidencia que creía que todo el mundo compartía. La función biológica de las plaquetas es permitir la coagulación de la sangre, de evitar las hemorragias. Por el lado paterno, la hemorragia era familiar: no había ninguna unidad entre los lazos de sangre. Este hijo había sido concebido en el proyecto-sentido de evitar la hemorragia familiar. Fabricaba más plaquetas para taponar la hemorragia, pero esta solución no funcionó y el divorcio de los padres le supuso un drama tan fuerte que adquirió el programa de crear lazos.

Sin embargo, la toma de conciencia de estos hechos no bastó para curar el exceso de plaquetas. Por lo tanto, le pedí a su madre que viniera a la consulta. Ella me reveló un no-dicho que jamás le había confesado a nadie: de pequeña, un día fue testigo de un atropello en la calle. Cuando se acercó para ver qué había pasado, en el suelo vio un enorme charco de sangre, y se preguntó, desde su tierna inocencia, cómo era posible que un cuerpo humano pudiera contener tanta sangre. Lo que se programó en su mente, de manera inconsciente, en ese momento fue la necesidad de fabricar muchas plaquetas para evitar la hemorragia y, por consiguiente, la

32. Ejemplo extraído del libro *Aïe mes Aïeux!* de Anne-Ancelin Schützenberger, DDB, La Méridiennne, París, 1993.

muerte. Unos años después, vivió otro choc: mientras estaba con su madre en una estación de servicio vio cómo, delante de sus ojos, un niño cruzaba la carretera, un camión lo atropellaba y el niño se desangraba y moría en pocos minutos El accidente tuvo lugar a la salida de Namur, un pueblo del que se acordaba perfectamente.

Unos años más tarde, aunque no lo había comentado con nadie, su hijo se marchó de Bruselas y se instaló en Namur, a escasos 200 m del garaje donde se había producido el accidente. Curiosamente, fue en ese momento cuando decidió hacerse bombero, una persona que nunca había soportado ver la sangre.

Esta historia ilustra una transmisión de secreto, temático y espacial a la vez.

Después de la actualización de estos secretos, el joven vio cómo el nivel de plaquetas en la sangre empezaba a normalizarse.

Estos fenómenos han sido objeto de numerosas observaciones y estudios que demuestran que son estadísticamente significativos.[33] Sin embargo, hoy por hoy no tenemos una explicación definitiva, una teoría verificable, científica, respecto a la transmisión de los secretos de familia. Se sostienen varias hipótesis, aunque por ahora sólo son eso, hipótesis y metáforas. Hay quien ve en estos fenómenos la transmisión de un recuerdo de inconsciente a inconsciente: el recuerdo del lazo que une un objeto (tiempo, lugar, tema) a una emoción, un sentido.

De algún modo, el ser humano es la suma de los recuerdos emocionales, personales, familiares y culturales.

Freud estudió el inconsciente personal[34] y C. G. Jung, el inconsciente colectivo. Descubrimientos más recientes nos llevan a pensar en un inconsciente familiar.

En realidad, lo sorprendente es que el heredero de un secreto de familia adivina o presiente que pasó «algo»: a un nivel totalmente inconsciente,

---

33. Cf. Anne-Ancelin Schützenberger, *Aïe mes aïeux!*, DDB, La Méridienne, París, 1993.
34. Freud, analizando las profundidades del inconsciente, podía reconocer en él la presencia de motivos transgeneracionales: «La herencia arcaica del hombre sólo conlleva predisposiciones, pero también contenidos ideativos y rasgos mnésicos que han dejado las experiencias vividas por las generaciones anteriores». *Moïse et le monothéisme*, 1939.

sabe precisamente qué pasó, dónde y cuándo. Y conserva estos elementos en su inconsciente.

Cuando conocemos a alguien, también conocemos a una familia, sus usos y costumbres, las evidencias que son las creencias y los valores relacionados con la historia familiar.

Otros ejemplos

— Un niño nació ciego del ojo izquierdo. Su padre trabajaba de fotógrafo en la policía. Su trabajo consistía en fotografiar los lugares, personas y objetos involucrados en un crimen o un accidente. Tenía que fotografiarlo todo para tener un archivo lo más completo posible. Fotografiaba con el ojo izquierdo. Su hijo, al nacer, había desarrollado una retinopatía pigmentaria del ojo izquierdo, que está relacionada con un conflicto de suciedad relativo a la visión.

— El señor L sufría reumatismos en los pulgares y los índices. Curiosamente, sólo le afectaba a esos dedos. Ahora bien, también es curioso que, en nuestra cultura, sean precisamente esos los dedos que usamos para hacer el gesto del dinero. Este hombre pasaba por dificultades económicas, se desvalorizaba porque no ganaba dinero y esa desvalorización relacionada con el dinero le afectaba a esos cuatro dedos. Al ir un poco más allá y buscar el por qué de esas dificultades con el dinero, descubrimos una larga historia familiar alrededor de ese problema.

Su padre tenía la firme creencia que el dinero era malo. Decía que «uno está bien (moralmente hablando) o tiene bien (dinero)».

Su abuelo era una especie de genio que había creado varias campañas publicitarias para productos de gran distribución. Aquellos paneles marcaron una época, y algunos se hicieron tan famosos que todavía hoy se utilizan. Sin embargo, y a pesar de tener un talento por todos reconocido, este hombre se hacía pagar una miseria. Él también tenía un problema con el dinero. Todo eso parecía llevar el sello de la culpabilidad.

El bisabuelo del señor L era un hombre muy rico. Cuando estalló la primera guerra mundial, pagó a un hombre para que fuera al frente en su lugar, donde lo mataron. Así, como tenía dinero para pagar, un hombre había muerto por su culpa. En ese momento empezó a odiar el dinero, y ese odio, esa desconfianza, se transmitió a las siguientes generaciones.

En terapia, un criterio que nos puede poner sobre la pista de un secreto de familia es la desproporción que existe entre un acontecimiento y la reacción emocional que provoca. La reacción parece exagerada y no se encuentra ningún acontecimiento en la vida de esa persona, en términos de conflicto programado, que la justifique. O bien el síntoma permanece, a pesar de haber hecho que la persona tomara conciencia de todo su recorrido personal.

Otras veces, otro criterio es el carácter irracional o compulsivo de las reacciones: las personas tienen la impresión de hacer las cosas en contra de su voluntad, de no poder controlar sus reacciones, de ser los juguetes de sus emociones. Todos estos automatismos, comportamientos irresistibles, actitudes de fracasos repetitivos, en los que la persona entra en contacto con una emoción desbordante, son los indicios que nos orientarán hacia una eventual herencia familiar.

Personalmente, y a partir de mi experiencia como terapeuta, tendería a pensar que en la historia de cada uno hay uno o varios secretos de familia.

Para descubrirlos, para volver a entrar en contacto con los dramas ocultos, la primera solución es, por supuesto, interrogar a los padres y abuelos, pero esto no siempre es posible. Entonces, tendremos que llegar a la fuente por otro camino, otro hilo conductor, que es la emoción. Si una persona sufre un síntoma relacionado con un secreto, significa que de alguna manera está relacionada con el drama. Cualquier síntoma es el eco de un recuerdo emocional, ya sea personal o familiar.

Al contactar con el sentimiento que acompaña a un síntoma, es posible reactivar y descubrir los recuerdos originales. De manera imaginaria, quizás alucinadora, aunque seguro que metafórica, la persona encuentra de manera espontánea (en algunos casos, la hipnosis puede ayudar) un acontecimiento muy preciso y contemporáneo, como si estuviera viviendo la escena. Porque, repetimos, el síntoma es una emoción no dicha, es lo inacabado. Hacer entrar a una persona en la emoción es permitirle recuperar en la conciencia un acontecimiento que, en cualquier caso, ya se está expresando.

A menudo, liberarse de los síntomas relacionados con los secretos de familia es mucho más sencillo de lo que uno cree. Porque, aunque se trate de acontecimientos atroces, el hecho de expresarlos, de sacarlos, hace que ya no estén dentro. Cuando pronunciamos esas palabras, cuando verbalizamos la toma de conciencia, ya no ocupa el inconsciente. Esto, según Freud, siempre provoca una abreacción, una descarga emocional (gritos, temblores, lágrimas, etc.). Rápidamente, la persona se siente mucho mejor.

Lo peor viene antes, no después. Las personas suelen tener miedo de lo que descubrirán, no quieren volver a ese acontecimiento, ese recuerdo, esa violencia. Tienen la sensación de que no podrán soportarlo. Sin embargo, la realidad es muy distinta. Una vez que la persona ha empezado el camino, y lleva unos minutos en ese ejercicio, se siente liberada, aliviada, de manera inmediata. Casi siempre, la toma de conciencia en la emoción basta para curarse, aunque se trate de acontecimientos muy importantes. La fuerza de estos secretos reside en su carácter inconsciente, oculto, no dicho. Operan desde las sombras.

Puede ser útil, en determinados casos, pedirle al paciente que realice un acto simbólico para, de alguna manera, cerrar el proceso, concluir la reparación, cerrar ese recuerdo al que no hemos encontrado solución. Alejandro Jodorowsky habla de actos psicomágicos, Jacques Salomé de actos simbólicos y Milton Erickson de prescripciones de tareas.

Estos actos simbólicos son eficaces en tanto y cuanto responden a un principio terapéutico fundamental: la realidad metafórica de cualquier cosa. Por ejemplo, en el caso de los órganos, el hueso es una metáfora de las vigas de la casa y el hígado una metáfora de la despensa. Cuando una persona pierde el trabajo, es una metáfora de perder la comida y tener miedo a morir de hambre.

Todo es una metáfora de todo, y esto sirve tanto para la enfermedad como para la curación.

Ejemplos

— Le pedí a una chica que se sentía perseguida que forrara una pantalla de lámpara con caras de recortes de revistas, que encendiera la luz por la noche y que, durante una hora (mientras hacía los deberes o lo que fuera), le diera la espalda. Para ella, resultó ser un ejercicio muy angustioso, y sólo eran fotografías de revistas. Pero lo hizo y aquello le permitió tomar conciencia de ese sentimiento de persecución y acostumbrarse a tener miradas puestas en ella.

— El señor P, de 34 años, era depresivo. Su padre había muerto hacía dos años, algo que él decía no haber vivido excesivamente mal. Sin embargo, cuando dos años después su novia lo dejó, se sumió en una tristeza desproporcionada, inconsolable. En realidad, fue entonces cuando se dio permiso para guardar duelo por su padre. Fue entonces cuando cayó en la depresión y se pasaba todo el tiempo viendo la televisión.

El 29 de diciembre de 1999 estaba solo y, por televisión, vio imágenes de los pinos de Landes devastados por la tormenta. En ese mismo instante, a pesar de la depresión, dejó su empleo, salió de casa y condujo hasta Landes con 400 francos en el bolsillo. Nunca había estado en esa región y no conocía a nadie. Al día siguiente, a las 10 de la mañana, ya había encontrado trabajo y empezó a reparar el bosque, a ordenar un poco aquel caos. Trabajó durante seis meses y fue muy feliz. Para él, los árboles son seres vivos y tenía la impresión de estar apaciguando sus sufrimientos. No fue hasta ocho meses más tarde que se dio cuenta que, viendo la televisión aquella noche, no veía los árboles sino a sí mismo. Había visto en el exterior la metáfora exacta de su estado anímico interior, la imagen visual de su alma. Pudo actuar sobre esa realidad exterior y, cuanto más lo hacía, mejor se sentía interiormente.

Según numerosas creencias, el acto simbólico es igualmente útil para los antepasados difuntos, para liberarlos de los no dichos, de los sufrimientos no solucionados, de sus culpabilidades. Lo que es seguro es que el hecho de trabajar en esos secretos evitará que nuestros hijos los sufran.

SEXTA PARTE

Conclusiones y puentes hacia el futuro

Cuando uno puede adaptarse a todo es capaz de ser él mismo.

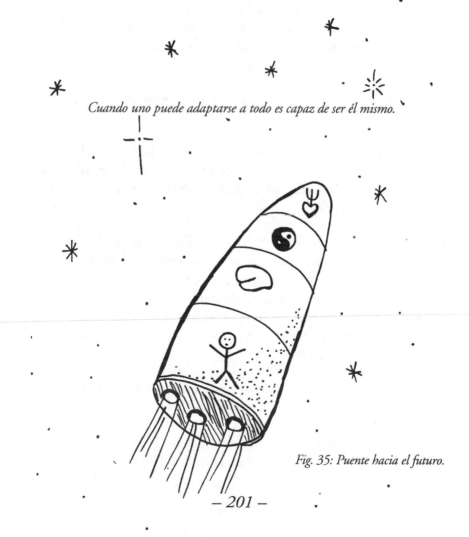

Fig. 35: Puente hacia el futuro.

Al final de este viaje que nos ha permitido explorar la enfermedad desde el prisma de la biología, ha llegado la hora de extraer conclusiones y establecer las bases de los puentes hacia el futuro.

— Primera conclusión: cualquier enfermedad, **cualquier síntoma, tiene un sentido positivo**, que lleva la curación en sí mismo. La enfermedad es el esfuerzo de la Naturaleza por solucionar sus conflictos, tentativa de autocuración y de adaptación a una realidad que evoluciona. **Todo se adapta o desaparece.**

— Segunda conclusión: aunque nuestro inconsciente conozca
• el origen del conflicto,
• la solución del conflicto,
• y el camino que lleva a la solución del conflicto,
es indispensable expresar el conflicto a través de la emoción, verbalizarlo, concretar la solución, compartir, comunicar.

— Tercera conclusión: **el ser está en una realidad metafórica.** Todo es una metáfora de todo.

— Cuarta conclusión: esta nueva comprensión biológica de los síntomas implica una nueva forma de terapia. Es una terapia del ser vivo en su totalidad, una terapia orientada hacia **la toma de conciencia en la emoción de la relación causa-efecto.**

— Quinta conclusión: esta descodificación tiene **implicaciones** a nivel de la salud física, aunque también **en otros terrenos**. Por ejemplo, los problemas psíquicos o de comportamiento también tienen unos orígenes que se pueden expresar en términos de conflictos biológicos. En su caso, no es uno sino varios conflictos los que originan los síntomas psíquicos o de comportamiento. Denomino *émaillage* a la constelación formada por varios conflictos biológicos.

Tengo previsto escribir un libro acerca este tema del *émaillage* (constelación) y los problemas de comportamiento. Y otro acerca de la bioterapia, terapia del ser vivo en su unidad.

Por otro lado, tenemos previsto crear una publicación donde se trate el tema de las pasarelas existentes entre la tradición espiritual judeocristiana, la Biblia en particular, y la descodificación biológica. En realidad, los Evangelios nos suelen presentar a Jesús ocupándose de la salud, curando a los enfermos. Y eso es algo muy raro en los líderes religiosos o los profetas. Queda patente una preocupación por el cuerpo. ¿Tenía conciencia de ella o, al menos, incluyó Él esta noción de leyes biológicas? ¿Pueden estas leyes ser un puente, una unión, hacia una curación espiritual? Son las preguntas a las que esta publicación intentará aportar respuestas.

El próximo libro que publicaré estará centrado en la descodificación órgano a órgano. Con una presentación más técnica, ofreceré, para cada uno, las señales del conflicto activo y los síntomas de la curación, así como el tipo de sentimiento que le corresponde, con el apoyo de casos concretos.

¿Por qué hablar de descodificación?

Decidí bautizar como Descodificación Biológica de las Enfermedades este enfoque del ser vivo en general, y de la enfermedad en particular, en 1992.

En realidad, **no es sólo una visión médica de la persona**, centrada en el cuerpo, sino un enfoque del ser en su totalidad, con implicaciones en nuestra visión del hombre, tanto en el terreno psicológico como filosófico e incluso metafísico. Otro investigadores, en sus especialidades, han podido establecer pasarelas entre descodificación biológica y espiritual, biología y magnetismo, biología y energética china, descodificación y osteopatía, descodificación y homeopatía, y muchos otro temas.

La descodificación es el **desciframiento y la ejecución** del programa genético por parte de una célula. Descodificar acaba por significar traducir, en un lenguaje más claro, un mensaje criptado. También significa analizar, o descubrir de manera intuitiva, el sentido de un enunciado. En resumen, descodificar significa descifrar (traducir) y ejecutar un programa.

La descodificación biológica tiene lugar a dos niveles

• Entre el sujeto y los acontecimientos

El sujeto descodifica el mundo real de manera biológica. Cuando el ser vivo, animal o humano, se encuentra frente a una situación cualquiera, los sentidos la perciben y la transcriben en información que, transformada en sentimiento, se inscribe en la biología, en el cuerpo. También descodifica, transpone una información exterior en realidad biológica. El mundo exterior nos presenta acontecimientos que **desciframos** y **ejecutamos**, en función de nuestro código genético. A partir del momento en que percibimos el ruido de un coche, o el rugir de una bestia detrás nuestro, descodificamos esa información de manera biológica y ejecutamos nuestro programa biológico de supervivencia.

• Entre el terapeuta y el paciente

El terapeuta pretende descodificar el síntoma. Dependiendo de sus creencias o de sus referencias teóricas, el médico utilizará una u otra lectura, interpretación. Puede, por ejemplo, descodificar el síntoma de manera puramente médica, o bien psicoanalítica, sistémica, energética, simbólica, espiritual, etc.

La visión de este libro sobre la descodificación, se basa en la **fisiología**. Esta visión permite restituir el instante dramático, el conflicto fijado, que cristalizó y se convirtió en síntoma, comportamiento, problema. El hecho de introducir este instante en la **conciencia** hace que nada vuelva a ser como antes. Después de todo, la patología no existe en sí misma: «la palabra, el discurso sobre el *pathos* (misma raíz griega que patético): los sufrimientos, las pasiones», así pues «la patología es una versión de sufrimiento».

Nuestra visión sólo pretende mejorar la comprensión de los procesos internos del ser vivo, completar los caminos llenos de talento que nos han precedido, en cualquier terreno: alopatía, homeopatía, energética china, osteopatía y otros.

Aspiramos a promover una nueva comprensión de lo que importa en la experiencia cotidiana de cada ser humano, dentro de las relaciones de cada uno con su entorno: ¡el **sentimiento emocional**!

Elogio a la emoción

Después de analizar detalladamente los trabajos presentados en este libro, nos damos cuenta de que se trata de tomarse muy en serio «el mundo de las emociones». Puede que fuera algo más natural en el siglo XIX, con el romanticismo. Hoy en día, el mundo emocional se banaliza y se ridiculiza demasiado a menudo. «No hay que llorar, hay que esconder las emociones, hay que ser fuerte…»" y otras tonterías similares que matan a miles de personas y destrozan a los niños para el resto de sus vidas.

Así, nos encontramos con personas que están totalmente desligadas de sus emociones, personas que no sienten nada. Desde mi punto de vista, en realidad sólo están desligadas de la conciencia de sus emociones. Tienen emociones, pero no lo saben porque, en un momento dado, fue peligroso estar en contacto con ellas o expresarlas. La terapia intentará buscar el choc original y restituir el permiso a sentir y expresar las emociones.

Reivindico para cada uno el derecho a tener sus propias emociones, estar en contacto con ellas y expresarlas. Es una oportunidad de vida, de libertad y de felicidad. Se trata de respetar, favorecer y facilitar la expresión de los sentimientos, con una finalidad profiláctica para la salud física, psíquica y relacional.

Las emociones son, al mismo tiempo, lo que nos hace vivir y lo que nos hace morir… ¡Nos toca a nosotros hacer la elección correcta!

La palabra «emoción» tiene la misma etimología que moción, mover, movimiento. La vida es el conjunto de nuestros recuerdos personales, familiares y universales. Pero, para que la vida no sea una fotografía, sino una película, para que esté viva, necesitamos movimiento. Y lo que permite el movimiento es la emoción.

Sin emoción, sin sentimiento, no tendríamos recuerdos ni proyectos. No habría relación. Ni evolución. Me pregunto si habría vida…

Metáfora final: «¡No te des la vuelta nunca!»

«Érase una vez… entre las colina y el bosque, un pequeño guante. Se paseaba. A lo largo de sus paseos, se encontró con pantalones, calcetines, camisas, jerséis e incluso con ropa interior. Dándose la mano o la manga, todos se saludaban calurosamente. En el campo, todos estaban bastante satisfechos con su suerte, a pesar de los pequeños e inevitables sietes de la vida. Obviamente, cuando llovía, el impermeable era el único que podía salir a pasear, aunque hay que añadir que cuando hacía calor no es que estuviera muy cómodo.

El pequeño guante, muy elegante, sufría de un extraño y funesto mal. Era terriblemente sensible, algo que a menudo lo entristecía. No podía ver un siete en un pantalón, eso lo destrozaba. Si veía un botón de menos en una camisa, se sentía amputado él mismo. Si veía una camiseta manchada, se sentía sucio. Si veía un agujero o hilos sueltos en un jersey de lana, le afectaba mucho, se sentía terriblemente desvalorizado. Sufría por todo eso, por todas esas agresiones a sus compañeros a los que quería, ¡y también con los desconocidos!

Pero eso sólo era la mitad de su mal. Este pequeño pobre guante tenía la necesidad constante de que lo admiraran, lo halagaran, reconocieran sus cualidades, a fin de cuentas reales. Si pasaban más de 24 horas sin que recibiera una mirada cariñosa, se ponía muy triste. Su preocupación cotidiana era buscar esa palabra, esa mirada, esa aprobación.

Un día que pasaba por un puente, un golpe de viento inesperado lo hizo caer al río. Se cerró inmediatamente para que el agua no entrara y se ahogara y, gesticulando con los cinco dedos, consiguió llegar a la orilla. Allí, tendido en una roca, se secó al sol. Como, a pesar de las precauciones, había entrado agua en el interior, tuvo la idea de darse a vuelta, es decir, que la parte de dentro quedara hacia fuera y viceversa.

Y allí, en ese momento, sucedió la revelación. Se produjo un auténtico milagro con ese movimiento. El pequeño guante jamás se había dado cuenta, en todos esos años, posiblemente desde que salió de la hilandería, ¡que estaba del revés! Su interior estaba en el exterior, y el exterior estaba en el interior. Por eso le afectaba tanto el sufrimiento ajeno. Porque, lo que sucede en nuestro exterior, normalmente lo dejamos en el exterior. ¡Pero él lo vivía en el interior! Y lo que vivimos en nuestro interior, es decir nosotros mismos, nuestra identidad, la conciencia de nuestro ser y nuestro valor, el pequeño guante lo había expuesto al exterior. ¡Al exterior, a los demás!

Pero ahora todo había terminado. Ya se había girado. El interior en el interior y el exterior en el exterior, para siempre.

A partir de ese día, pudo ser sensible a las preocupaciones de los demás sin que eso le provocara tormentos internos. También pudo apreciar los cumplidos sin ser dependiente de ellos.

A veces, puedes notar cómo te toca la espalda o te acaricia suavemente el hombro, o incluso puedes verlo, paseando por las colinas. Según las últimas noticias, habría encontrado un alma gemela y, entre los dos, estarían aprendiendo a tocar el piano.

Glosario

Anclaje: proceso mediante el cual se asocia una estimulación exterior (la visión de un paisaje, escuchar una música, etc.) a un sentimiento interior (alegría, tristeza, etc.).

Brainoma: contracción de *brain* (cerebro en inglés) y genoma. Término extraído de una cita del director de investigación del CEA de Orsay, el Sr. Le Bihan, para definir la «cartografía del cerebro», igual que existe la cartografía de los genes humanos (el genoma).

Conflicto: tensión de todo el ser para encontrar una solución de adaptación a lo imprevisto y a lo inexplicable.

Cortisol: hormona segregada por las glándulas suprarrenales.

Crisis épica: crisis epiléptica.

Émaillage: igual que el cielo está repleto de estrellas para formar las constelaciones, los problemas de comportamiento, las neurosis, etc., son producto de un conjunto de varios conflictos activos de forma simultánea. No existiendo una traducción castellana para este término, hemos obtado por traducirlo como «constelación».

Endoblasto: (endoblasto = entoblasto = endodermo = endo) primera capa del embrión, de la que derivan los órganos arcaicos.

Ectoblasto: (ectoblasto = ectodermo = ecto) cuarta capa del embrión, de la que derivan los órganos aparecidos más recientemente en la evolución del ser vivo.

Capas embrionarias: *véase* Primera parte, las cuatro capas embrionarias.

Mesoblasto: (mesoblasto = mesodermo = lámina interna + lámina externa) segunda y tercera capas embrionarias.

Normotonía: tono normal del ser, ya sea antes de un episodio de estrés o después del periodo de curación.

Ortosimpaticotonía = simpaticotonía = fase de estrés = primera fase de la enfermedad: *véase* Tercera parte, 2.

Parasimpaticotonía = vagotonía = fase de curación = segunda y tercera fases de la enfermedad: *véase* Tercera parte, 2.

PNL: enfoque de la comunicación y del cambio que se interesa más por la estructura de la experiencia subjetiva que por el contenido. Tiene múltiples aplicaciones (a partir del momento en que hay comunicación); en terapia, el interés está más enfocado hacia el cómo (lo hago por estar mal) que hacia el por qué (estoy mal). En pocas palabras: ¿cómo nos construimos la experiencia de la realidad? También es una caja de herramientas con gran poder de cambio. Actuando sobre la estructura de la experiencia (representaciones mentales, creencias limitadoras, etc.), lo que se transforma es la relación con el mundo y la representación de él que nos hacemos.

Índice terminológico

Bibliografía

BASES MÉDICAS

BENSAID, Norbert: *La lumière médicale: les illusions de la prévention*, Seuil, París, 1982.

BERKOW, Robert: *El Manual Merck*, Ediciones Doyma, S.A., Barcelona, 1989.

CORNILLOT, P.: *Le traité d'homéopathie*, Frison Roche, París, 1995.

CARTER, Rita: *El nuevo mapa del cerebro: guía ilustrada de los descubrimientos más recientes para comprender el funcionamiento de la mente*, RBA Libros, S.A., Barcelona, 1999.

DREWS, Ulrich: *Atlas d'embryologie*, Médecine sciences, Flammarion, París, 1994.

LAZORTHES, Guy: *Le cerveau et l'esprit*, Flammarion, París, 1982.

MOORE, Keith L., PERSAUD, T.V.N., SHIOTA, Koei: *Atlas de embriología clínica*, Editorial Médica Panamericana, S.A., Madrid, 1995.

PERRIN, Louis F.: *Le Système immunitaire*, Collection Dominos, Flammarion, París, 1997.

ROLLAND, Laurence y Xavier: *Bactéries, Virus et Champignons*, Collection Dominos, Flammarion, París, 1997.

ROUËSSÉ, Jacques, TURPIN, F.: *Abrégé d'oncologie*, Masson, París, 1995.

TORTORA, Gerard J., GRABOWSKY, Sandra R.: *Anatomía y fisiología*, Elsevier España S.A., Madrid, 1996.

PSICOTERAPIA

ANCELIN-SCHÜTZENBERGER, Anne: *Aïe mes Aïeux!*, DDB, La Méridienne, París, 1993.

ASSAGIOLI, Roberto: *Psicosíntesis, ser transpersonal, el nacimiento de nuestro ser real*, Gaia Ediciones, Móstoles, 2000.

FRANKL, Víctor Emil: *El hombre en busca de sentido*, Herder, Barcelona, 2004.

FREUD, Sigmund: *Trabajos sobre Metapsicología*, en *Obras Completas*, RBA, Barcelona, 2003.

—— *Psicopatología de la vida cotidiana*, Alianza, Madrid, 1991.

—— *La interpretación de los sueños*, Editorial Biblioteca Nueva S.L., Madrid, 2000.

HALEY, Jay: *Terapia no convencional. Las técnicas psiquiáticas de Milton H. Erickson*, Amorrortu, Buenos Aires, 1985.

—— *Terapia de ordalía - Caminos inusuales para modificar la conducta*, Amorrortu, Buenos Aires, 1997.

JODOROWSKY, Alexandro: *Le théâtre de la guérison*, Albin Michel, París, 2001.

JUNG, Carl Gustav: *L'homme à la découverte de son âme*, Albin Michel, París, 1987.

KEROUAC, Michel: *La métaphore thérapeutique et ses contes*, MKR Éditions, Quebec, 1996.

MEGGLÉ, Dominique: *Erickson, hypnose et psychotérapie*, Retz, París, 1998.

MOIROT, Michel: *Origine des cancers*, Les lettres libres, París, 1985.

NARDONNE, Giorgio: *Miedo, pánico y fobias*, Herder, Barcelona, 1997.

ROGERS, Carl: *El proceso de convertirse en persona*, Paidós, Buenos Aires, 1979.

ROSEN, Sidney: *Mi voz irá contigo: los cuentos didácticos de Milton H. Erickson*, ed. Paidós Ibérica, Barcelona, 1994.

ROSSI, Ernest L.: *Psychobiologie de la guérison*, DDB, París, 1994.

SIMONTON, Carl, MATTHEWS-SIMONTON, Stéphanie, CREIGHTON, James L.: *Recuperar la salud. Una apuesta por la vida*, Los libros del comienzo, Madrid, 1997.

ZEIG, Jeffrey K.: *Un seminario didáctico con Milton Erickson*, Amorrortu, Buenos Aires, 1985.

PNL

BANDLER, Richard: *Use su cabeza para variar*, Cuatro Vientos, Santiago de Chile, 1996.

BANDLER, Richard, GRINDER, John: *Les secrets de la communication*, Le Jour, París, 1982.

—— *TranceFormate*, Gaia, Madrid, 1993.

CAYROL, Alain, SAINT PAUL, Josiane: *Mente sin límites*, Robin Book, Barcelona, 1994.

DILTS, Robert, HALLBOM, Tim, SMITH, Suzi: *Las Creencias: caminos hacia la salud y el bienestar*, Urano, Barcelona, 1996.

SAINT PAUL, Josiane: *Choisir sa vie*, InterEditions, París, 1993.

VARIOS

ATHIAS, Gérard: *Les racines familiales de la «mal a dit»*, ed. por cuenta del autor, 2000.

CHEVALIER, Jean, GHEERBRANT, Alain: *Diccionario de los símbolos*, Herder, Barcelona, 1988.

COUSTEAU, Jacques-Yves, PACCALET, Yves: *Le monde des dauphins*, Laffont, París, 1995.

CYRULNIK, Boris: *Sous le signe du lien*, Hachette, París, 1989.

GOLEMAN, Daniel: *La salud emocional: conversaciones con el Dalai Lama sobre la salud, las emociones y la mente*, Biblioteca de la nueva conciencia, Kairós, Barcelona, 1997.

HAMER, Ryke Geerd: *Quintessence*, ASAC, Chambéry, 1994.

HÉRON, Jean-Olivier: *Les contes du 7e jour*, Le Cerf, París, 1984.

LABORIT, Henri: *La agresividad desviada*, Península, Barcelona, 1975.

—— *La paloma asesinada: acerca de la violencia colectiva*, Laia, Barcelona, 1986.

LORENZ, Konrad: *L'année de l'oie cendrée*, Stock, París, 1978.

MAMBRETTI, Giorgio: *La medicina patas arriba: ¿y si Hamer tuviera razón?*, Obelisco, Barcelona, 2002.

De SENSus, Actes du 2ème Forum Francophone d'hypnose et de thérapies bràves, L'Arbousier, París, 2001.

FORMACIÓN

Christian FLÈCHE ofrece cursos de formación en:
«Décodage Biologique des Maladies» y
«PNL orientée vers la thérapie».

Si deseas recibir información, puedes pedir el programa a la editorial
Le Souffle d'Or:
BP 3 – 05300 Barret-sur-Méouge (France)
Tel. 04 92 65 52 24
Fax 04 92 65 08 79
e-mail: info@souffledor.fr

índice

SEGUNDA PARTE

TERCERA PARTE

QUINTA PARTE

SEXTA PARTE